TODA FEITA

**Marcos Benedetti**

O corpo e o gênero das travestis

COLEÇÃO | sexualidade, gênero e sociedade

homos**sexualidade** | e | **cultura**

# TODA FEITA:
# O CORPO E O GÊNERO DAS TRAVESTIS

**Marcos Renato Benedetti**

Garamond
UNIVERSITÁRIA

## Editora Garamond Ltda

Rua Cândido de Oliveira, 43
Rio Comprido  Cep: 20261-115
Rio de Janeiro – Brasil
Telefax: (21) 2504-9211

e-mail: editora@garamond.com.br


Projeto Gráfico de Capa e Miolo
*Anna Amendola*

Revisão
*Miguel Bezzi Conde*
*Argemiro Figueiredo*

*Editoração Eletrônica*
*Tiago Rodrigues*


CIP-BRASIL. CATALOGAÇÃO-NA-FONTE
DO SINDICATO NACIONAL DOS EDITORES DE LIVROS, RJ.

Benedetti, Marcos Renato
 Toda feita : o corpo e o gênero das travestis / Marcos Renato Benedetti. - Rio de Janeiro : Garamond, 2005
 144p. - (Gênero e sexualidade ; Homossexualidade e cultura)

ISBN 85-7617-073-6

 1. Homossexualidade - Porto Alegre (RS). 2. Homossexualidade - Aspectos sociais - Porto Alegre (RS). 3. Travestis - Porto Alegre (RS).
I. Título. II. Série.

05-1255.                                   CDD 306.76620981611
                                           CDU 316.346.2-055.3

Apoio:

FORD FOUNDATION

# AGRADECIMENTOS

Agradeço a inúmeras pessoas que me ajudaram a tornar possível este livro.

À minha família, em especial ao meu pai, Onildo, que já se foi, e à minha mãe, Rita, que, com sua simplicidade, souberam dar suporte e apoio irrestritos aos meus projetos. Sem a colaboração inestimável de vocês, todos os meus sonhos não passariam de quimeras.

Aos professores do Programa de Pós-Graduação em Antropologia Social da UFRGS, que sempre incentivaram meus projetos. À Coordenação de Aperfeiçoamento de Pessoal de Nível Superior (Capes), pela concessão da bolsa de estudos que financiou a pesquisa. Aos colegas da turma de mestrado de 1997, pelas contribuições e debates produtivos. Em especial, a Antonadia Borges, Maria Patrícia Sulpino e Janie Pacheco, pelos momentos de estudo e elaboração mútua.

Aos pesquisadores do Núcleo de Pesquisa em Antropologia do Corpo e da Saúde da UFRGS, pelas dicas e sugestões.

À minha orientadora, professora Ondina Fachel Leal, meu muito obrigado pela confiança generosa, pelos esforços, incentivos, elogios e contribuições.

Aos meus colegas voluntários do Grupo de Apoio à Prevenção da Aids/RS, em especial à equipe do Núcleo de Ação e Estudos da Prostituição, por estimularem minha curiosidade e pretensões teóricas, em especial a Ana Fábregas, Cláudia de Quadro, Carla de Almeida, Marion Pegorario e Karen Bruck, que, de muitas maneiras, deram contribuições significativas à pesquisa.

Aos meus amigos, pelos momentos de discussão, estudo, descontração e alegria; pelos bons e maus humores compartilhados nos diferentes momentos de planejamento e realização deste trabalho. Obrigado a Ernesto Seidl, Fabrício Haas, Alessandro Bucussi, Lis Pasini, Álvaro Castro, Fabiane Baumann, Fernando Seffner, Janie K. Pacheco, José Romão de Aguiar, Volnei Tavares, Vladimir Azeredo, Márcio Masotti, Glicério de Moura, Célio Golin, Glademir Lorensi, Luís Gustavo Weiler, Roger Raupp Rios, Walmor Triaca, Perseu Pereira, Juarez Barazetti e Eliana Menegat. Valeu, pessoal!

Em especial, agradeço aos amigos Marlise Giovanaz, Élvio Rossi e Maurício Ramos, por dividirem comigo frustrações e alegrias durante o período de formação, planejamento e realização deste trabalho.

E o mais importante: meu muito obrigado às travestis e transexuais, que elaboraram comigo este trabalho. A confiança e o respeito construído entre nós possibilitaram sua realização. A elas dedico este livro.

# ÍNDICE

# PREFÁCIO

Helio R. S. Silva

Este prefácio se torna dispensável ao especialista informado de que este livro foi dissertação de mestrado orientada pela dra. Ondina Fachel Leal junto ao Programa de Pós-Graduação em Antropologia Social da Universidade Federal do Rio Grande do Sul, pois ele sabe que este programa é um dos três maiores centros de formação de antropólogos do país e que a orientadora tem centralidade na Antropologia brasileira.

Como este livro será indispensável não só ao especialista, mas a uma comunidade muito mais ampla, vale a pena retardar o prazer da leitura para sinalizar – em sinal de celebração – o que está em causa. A clareza e concisão do texto, sem qualquer concessão ao didatismo menor, o torna interessante para gays, lésbicas, travestis, transexuais, simpatizantes, estudiosos de gênero e dos aspectos simbólicos do corpo humano e, muito particularmente, para aquele leitor que se mantém minimamente informado sobre as grandes questões contemporâneas, duas ou três delas contempladas aqui com agudeza e precisão.

A referência à instituição onde Marcos obteve seu título de mestre e à sua orientadora é infração dupla dos cânones do prefácio, que prescrevem que o mérito da autoria prevaleça sobre todo o resto. Vale a pena, portanto, um esclarecimento ao público leigo: não há traço ou dedo da orientadora no texto de Benedetti. Seus méritos e achados, sua disciplina etnográfica e textual remetem tão somente a ele. Fazem perceber um etnógrafo agudo, um estudioso paciente que envereda pelo complexo sem complicar, um escritor claro e conciso. Chama-se atenção apenas para a circunstância de que este texto já passou por dois crivos rigorosos.

Benedetti guia o leitor finamente logo em suas primeiras páginas, radicando a coletividade que estuda em uma circunstância. O tema por excelência da Antropologia, a tensão entre o universal (natural) e o local (cultural), vai-se urdindo numa trama clara e complexa. Adverte para o quanto as conexões que sustentam as generalizações negligenciam a relevância dos detalhes tecidos local e circunstancialmente: "É claro que existem semelhanças entre as travestis de Porto Alegre e as *mahu* do Taiti, mas as diferenças e as especificidades podem ser ainda maiores."

É notável como dá conta do estado da arte de sua questão, no Brasil e no mundo, cingindo-se ao essencial e cultivando a clareza. Conhecedor da "matéria" (a matéria informe e caudatária do impressionismo, dos preconceitos, da imprecisão terminológica e de teorias claudicantes), articula as tradições provinciais de estudos do corpo, do gênero e desfia a colcha de retalhos dos estudos sobre "homossexualidade" e "transvestismo", rejeitando expressões politicamente incorretas, conceitos insustentáveis cientificamente, mas mantendo uma sintonia fina com todas as evidências, passagens e indicações de uma boa senda. Aí se revela a coragem intelectual do fino analista. Em um texto ao longo do qual a questão do preconceito tantas vezes aflora ou se tensiona subjacente, o espírito aberto do autor revela-se – antes mesmo dos seus claros posicionamentos sociais e éticos – capaz de sopesar, distinguir e separar em textos alheios o que ainda tem valia do que já não tem validade. Essas operações analíticas rigorosas o conduzem, pelo exame interno desses múltiplos e desconjuntados discursos, a seu objeto, um dos pontos altos deste trabalho.

A construção do problema, em diálogo informado com a produção teórica sobre corpo, gênero, homossexualismo e transexualismo, revela em Benedetti uma bela esperança para a antropologia brasileira.

Busca as "práticas realizadas pelas travestis para transformar o corpo e o gênero" porque as "...transformações do corpo" são práticas estruturantes "das suas visões de mundo" "...e do seu principal objetivo: a vontade/projeto de se *sentir* mulheres".

Num toque de Colombo, põe o ovo em pé: "O corpo das travestis é, sobretudo, uma linguagem; é no corpo e por meio dele que os significados do feminino e do masculino se concretizam e conferem à pessoa suas qualidades sociais. É no corpo que as travestis se produzem enquanto sujeitos." Daí em diante, ao etnógrafo caberá perseguir e ao teórico, analisar os "principais processos criados e experimentados pelas travestis para levar a cabo o projeto de ser feminina".

Trata-se, portanto, de estudar a fabricação do corpo feminino, ou a fabricação do feminino no corpo das travestis.

Neste empenho, o senso de observação de Benedetti tangencia uma Clarice Lispector em vários momentos, como esse:

*(...) mas há um investimento em transformar a expressão do olhar, tornando-o menos objetivo, mais confuso e perdido, mais delicado, quase inocente e indefeso.*

Ou ainda aqui:

*(...) virar para o lado, jogando, antes do corpo, todo o cabelo...*

Revelações surpreendentes como, por exemplo, sobre "Sandra (que trabalha como telefonista)".

Não serei exaustivo. Para que retardar a leitura desse notável prazer intelectual? Resenhas e seminários farão nos próximos anos a exegese desse pequeno texto. Aqui, trata-se apenas de uma celebração. Que o leitor prossiga a encontrar os tesouros sob os tópicos das cápsulas de beleza, da beleza plástica, das mágicas cirúrgicas, do "acuendar a neca" até as questões seminais em torno de qual feminino se trata aqui.

O autor estabelece as bases e entendimento de uma linguagem que, de uma província extremamente segregada da sociedade, vai tecendo fio por fio conexões obstinadas com instâncias simbólicas fundamentais de toda aquela sociedade. Hormônios; pêlo e cabelo, unha e rosto; mão, quadril, coxa e nádegas; marcas no corpo, vestuário, calçados, gesto; voz, neologismo e entonação.

Cor, ocasião, contexto, medida e outros atributos, propriedades, modo, atitude, entonação formam, em vários gradientes sutis, uma operação analítica preciosa e permanentemente controlada pelo articulador dos sentidos, que a flagra e conecta com o pressentido em outras séries.

Outro ponto alto do trabalho: a performance sensível do etnógrafo, guiado pela insegurança, essa prima tão mal vista da sensibilidade e da responsabilidade. Há certezas demais em nossa tradição etnográfica. Benedetti é um belo antídoto à turma do "meninos, eu vi". O tempo todo duvida do que vê e se pergunta se deve ver. (Isto terá alguma coisa a ver com Chuang-tzu, para quem o homem sábio acerta sempre porque está ansioso e indeciso quando tenta?) Observar o campo e interagir é nele um permanente auto--observar-se e uma auto-avaliação permanente. E isto é mais que teoria, método e técnica. É uma atitude necessária que subsume todas as outras dimensões e produz uma identidade ambígua e oscilante: a do etnógrafo.

Como etnógrafo, lembra um garimpeiro, atento, paciente. Sua reflexão sobre o trabalho de campo é de raro equilíbrio. Nenhuma autocomplacência a se estender sobre o que não interessa a ninguém. E a ética corajosa de quem revela apenas as fraquezas inerentes a essas situações que realmente iluminam o objeto, ajudam na análise geral. Por outro lado, sabe compor as perspectivas – e desculpem a tensão entre as duas imagens – que terminam por confluir, complementares, seja a do militante do GAPA, as entrevistas gravadas, as observações do *flâneur* da Farrapos e os registros do visitante

A idéia de "montagem" preside a cena. Seja na criatividade contida na produção do objeto. Seja no projeto das criaturas com as quais Benedetti interagiu e conversou. Seja no tipo particular de observação que exercitou ao longo do trabalho etnográfico. Seja ainda no texto que articula tudo com brevidade e brilho. Se o etnógrafo revelou-se um garimpeiro paciente, o escritor revela-se um ourives preciso e discreto.

Esta é uma etnografia "toda feita". Senhora de si mesma: autora de si.

Na perspectiva da abolição dos falsos binarismos profundo-superficial, corpo-alma, natural e artificial, parece que, em sendo uma brilhante etnografia sobre travestis, remete a questões bem mais abrangentes. Neste sentido, não esgrime contra o preconceito. Dá um passo adiante, o desincorpora e esvazia o próprio sentido e possibilidade do combate.

Da erma e desolada região onde se confinam na metrópole portoalegrense, articulam-se com todos nós em qualquer quadrante.

Ao longo dos últimos doze anos, integrando bancas, orientando dissertações, participando de seminários, congressos, organizando seminários ou dando cursos, travei conhecimento com inúmeros textos publicados, inéditos, publicáveis e impublicáveis de dezenas de estudantes e estudiosos da Antropologia. É provável que a circunstância de ter publicado a primeira etnografia – em ordem cronológica – sobre travestis no Brasil (realizada em 1990 e 1991 e publicada em 1993) tenha levado Mário Benedetti a me conceder o privilégio de prefaciar o primeiro trabalho sólido e capaz de criar uma tradição para o tema nas ciências sociais brasileiras. Com a parca tradição disponível, Benedetti reconfigura a área. Não se trata de um errante abridor de trilhas a esmo. Benedetti torna-se com este livro o cartógrafo de novos domínios.

# INTRODUÇÃO
## AS TRAVESTIS: PRIMEIROS OLHARES, IMPRESSÕES E AFETIVIDADES

Minha primeira aproximação com o universo *trans* se deu em Porto Alegre, em meados de 1994, no Núcleo de Ação e Estudos da Prostituição do Grupo de Apoio à Prevenção da Aids (GAPA/RS). Nessa equipe de trabalho, comecei a participar do projeto de prevenção da Aids entre travestis profissionais do sexo. Na época, aluno do curso de ciências sociais, estava interessado em compreender a dimensão sociológica das políticas públicas de saúde e as dinâmicas da relação entre médico e paciente. Com o passar do tempo, novas indagações e inquietações surgiram. Comecei, então, a me dedicar ao estudo das temáticas do corpo e do gênero, especialmente no que diz respeito à sua dimensão cultural, impulsionado por uma aproximação mais sistemática à bibliografia antropológica.

Ao mesmo tempo, minha participação no Grupo de Travestis do GAPA/RS descortinou-me uma série de curiosidades e dúvidas acerca das práticas sociais das travestis, especialmente aquelas relacionadas aos usos e transformações do corpo — que, como veremos, é uma prática estruturante das suas visões de mundo — e do seu principal objetivo: a vontade/projeto de se *sentir* mulheres.

Conhecendo melhor as categorias e conceitos desenvolvidos pela antropologia, percebi que pesquisar e compreender esse grupo poderia trazer pistas e mesmo algumas contribuições sobre questões que, do meu ponto de vista, não haviam sido respondidas de forma satisfatória ou aprofundada nos trabalhos que eu conhecia. Persistiam dúvidas acerca da (con)fusão entre as categorias gênero e sexualidade (Leal & Boff, 1996; Leal,1998), as ferramentas mestras das análises antropológicas sobre as (homos)sexualidades. Inquietava-me também a pouca atenção analítica dedicada ao tema do corpo, que muitas vezes aparecia como um extrato "figurativo" dos trabalhos, sem receber o devido enfoque cultural, que pode auxiliar sobremaneira na compreensão da visão de mundo e das práticas sociais do grupo em análise, sobretudo naquilo que se relaciona aos domínios do gênero.

Decidi, assim, desdobrar num projeto de pesquisa as inquietações que as travestis me sugeriam. Com o objetivo de ampliar os entendimentos sobre os significados das práticas e intervenções no corpo que as travestis executam, bem como sobre os seus valores de gênero, comecei a conviver com elas em diferentes situações, visitando-as nos locais de prostituição e em suas casas. Passei a acompanhá-las nas festas, nos encontros, nas compras, nas depilações e na vida doméstica. Este trabalho é um resultado da minha convivência e do meu aprendizado junto às travestis. Trata-se de uma etnografia sobre as práticas sociais de construção do gênero observadas num caso radical de transformação corporal e social: as travestis que se prostituem em Porto Alegre.

Além de não identificar diretamente as travestis com os "*gays*", "homossexuais" ou "entendidos",[1] operação típica do olhar institucional e do senso comum sobre esse grupo, acredito ser importante inserir os discursos e valores de gênero como fatores organizadores dos processos sociais aqui analisados. Os processos de transformação do gênero, exemplificados no caso das travestis e suas construções corporais, contribuem para ampliar a compreensão dos processos culturais de construção do corpo, do gênero e da sexualidade.

---

[1] Guimarães (2004), num trabalho pioneiro, fez um estudo dos significados desses termos.

Em 1995, quando iniciei minha aproximação com as travestis, achava que poderia, de forma simples e objetiva, descrever ou categorizar esse grupo em poucas palavras, a partir de alguns traços e aspectos específicos. Porém, no processo de elaboração do texto etnográfico, resultado de um longo trabalho de pesquisa, aprendizado e convivência no universo *trans*, essa proposta foi se mostrando duvidosa e arriscada. As múltiplas diferenças e particularidades vivenciadas pelas pessoas nesse universo social não podem ser reduzidas a categorias ou classificações unificadoras, pois estas, ao tornar equivalentes visões de mundo e identidades às vezes até antagônicas, podem ser arbitrárias. Se a antropologia é por excelência a disciplina de demonstração das particularidades e especificidades das práticas sociais, os procedimentos de tipologização, classificação e promoção de algum grau de generalização são inseparáveis da tarefa científica.

Não é minha proposta realizar um inventário ou enumeração minuciosa das possíveis identidades sociais do universo *trans*, mas não posso furtar-me à tarefa de definir, de alguma forma, o grupo que foi o foco de minha atenção nesses anos de trabalho e pesquisa. Prefiro utilizar o termo universo *trans* em função de sua propriedade de ampliar o leque de definições possíveis no que se refere às possibilidades de "transformações do gênero". Essa denominação pretende abranger todas as "personificações" de gênero polivalente, modificado ou transformado, não somente aquelas das travestis. Assim — é preciso ser dito —, em nenhum momento encontrar-se-á neste trabalho uma definição categórica das travestis. Essa definição será, antes, uma construção efetuada ao longo de todo o texto. Espero que ela possa contribuir para ampliar os conhecimentos que temos sobre as pessoas que cruzam e deslocam as fronteiras do gênero, afastando-nos das imagens exóticas e das perspectivas vitimizantes, que ainda são correntes no senso comum.

O universo *trans* é um domínio social no que tange à questão das (auto)identificações. Muitas são as categorias nativas que definem e classificam pessoas, hábitos, práticas, valores e lógicas como pertencentes a esse domínio. Por exemplo, entre as travestis que se prostituem, que constituem o foco principal desta pesquisa, são correntes várias definições distintas para tipologizar homens (em termos anatômicos e fisiológicos) que se constroem corporal, cultural e subjetivamente de forma feminina, como, por exemplo, *travestis, transformistas* e *transexuais*. Neste contexto, os principais fatores de diferenciação entre uma figura e outra se encontram no corpo, suas formas e seus usos, bem como nas práticas e relações sociais.

Seguindo a lógica do grupo estudado, travestis são aquelas que promovem modificações nas formas do seu corpo visando a deixá-lo o mais parecido possível com o das mulheres; vestem-se e vivem cotidianamente como pessoas pertencentes ao gênero feminino sem, no entanto, desejar explicitamente recorrer à cirurgia de transgenitalização para retirar o pênis e construir uma vagina. Em contraste, a principal característica que define as transexuais nesse meio é a reivindicação da cirurgia de mudança de sexo como condição *sine qua non* da sua transformação, sem a qual permaneceriam em sofrimento e desajuste subjetivo e social. As transformistas, por sua vez, promovem intervenções leves — que podem ser rapidamente suprimidas ou revertidas — sobre as formas masculinas do corpo, assumindo as vestes e a identidade femininas somente em ocasiões específicas. Não faz parte dos valores e práticas associadas às transformistas, por exemplo, circular durante o dia *montada,* isto é, com roupas e aparência femininas. Essa prática, segundo o ponto de vista nativo, está diretamente relacionada com as travestis e com as transexuais.

É preciso apontar que a categoria *travestis* sobrepõe-se à categoria *transexuais*, uma vez que esta última é recente e ainda tem pouca presença no universo em pauta, funcionando muito mais por

---

[2] Pirani (1998: 9) observou entre as travestis estrangeiras em Paris como essa categoria é exógena e sem eco entre aquele grupo. No entanto, elas buscam se reconhecer nela ou por meio dela, talvez pelo próprio argumento médico/patológico embutido nessa categoria, que oferece a possibilidade de deslocar a discussão sobre esse comportamento de um domínio moral para um domínio "científico". Pode ser também uma estratégia criativa para driblar o preconceito e garantir algum grau de inserção social. Isto será mais aprofundado no capítulo III, seção "A invenção da transexualidade".

auto-identificação do que por atribuição, talvez pela própria lógica médico-psicológica que a constrói e define.[2] Assim, neste trabalho, o termo travestis inclui também as pessoas que se identificam enquanto transexuais e que fizeram parte do grupo de informantes da pesquisa. As transexuais são vistas aqui como uma tipologia reinterpretada e reinventada, desprovida — ainda que essa lógica esteja em sua origem (Shapiro, 1991) — do sentido médico-científico de "patologia".

Além das travestis, transexuais e transformistas, há uma verdadeira miríade de tipos que poderiam ser listados na categoria universo *trans*. As palavras *gay*, *viado*, *bicha*, *bicha-boy*, *traveca*, *caminhoneira*, *bofe*, *maricona*, *marica*, entre outras, definem algum grau de transformação nas construções do gênero das pessoas a que se referem.[3] Mas não é objetivo deste trabalho realizar um inventário minucioso dessas classificações e das práticas, valores e hábitos a elas relacionados. A pesquisa que deu origem a este livro se deteve explicitamente em observar e analisar as travestis e as transexuais, tomadas conforme suas próprias classificações.

É relevante esclarecer os motivos que me levam a empregar o substantivo *travesti* como pertencente ao gênero gramatical feminino. Além das razões que valorizam o próprio processo de construção do gênero feminino no corpo e nas subjetividades das travestis, e que levam em conta a utilização êmica desse termo, usualmente empregado na flexão feminina, há uma justificativa política. O respeito e a garantia à sua construção feminina estão entre as principais reivindicações do movimento organizado das travestis e transexuais. Quero que meu trabalho contribua com esse objetivo, valorizando e afirmando o gênero feminino — cultural e gramatical — das travestis.

Este livro está organizado em três capítulos. O primeiro, "Aventuras antropológicas pelo universo *Trans*", contém uma revisão das aproximações da antropologia ao tema das transformações de gêne-

---

[3] Analisei melhor estas questões em um artigo intitulado "A calçada das máscaras". Ver Benedetti (2002).

ro e das análises e conceitos desenvolvidos para a abordagem do fenômeno nessa disciplina. Apresenta detalhes e informações sobre a realização da pesquisa — baseada no método etnográfico e suas ferramentas de coleta e análise dos dados —, as informantes e o universo pesquisado. Nesse capítulo também são debatidas questões relativas à natureza do trabalho de campo, com suas implicações subjetivas e objetivas para o pesquisador e para as pesquisadas.

O segundo capítulo, "Entre curvas e sinuosidades: a fabricação do feminino no corpo das travestis", apresenta um relato detalhado dos processos desenvolvidos pelas travestis para modificar as formas de seus corpos. Pretendo demonstrar a importância e o papel do corpo no processo social de fabricação do gênero entre as travestis por meio da descrição, entre outros processos, dos tratos com os cabelos e os pêlos do corpo, das técnicas e valores da maquiagem, do emprego de roupas, sapatos e acessórios, do uso de hormônios femininos e suas implicações e das aplicações de silicone para formar novos contornos corporais.

O terceiro capítulo, "Vivendo no feminino: as dinâmicas e domínios do gênero entre as travestis", trata de alguns "domínios" do gênero no cotidiano das travestis. Analisam-se os conteúdos sociais presentes nas narrativas das travestis sobre as razões e os motivos de suas transformações, que indicam configurações de gênero específicas. Com o objetivo de ampliar a compreensão acerca dos valores e lógicas que constroem os domínios do masculino e do feminino na cultura das travestis, também são descritas as dinâmicas das relações estabelecidas entre as travestis, entre elas e seus maridos, entre elas e seus clientes da prostituição e entre elas e outros homens.

# AVENTURAS ANTROPOLÓGICAS PELO UNIVERSO *TRANS*

## ANTROPOLOGIA *TRANS*

### O OUTRO EXÓTICO E AS "INVERSÕES" DE GÊNERO

As "transformações de gênero"[1] firmam-se cada vez mais como um tema/campo consolidado no interior da antropologia. As tentativas de descrição e interpretação das "transformações de gênero" aparecem já na primeira metade do século XX, com as descrições abundantes, ainda que confusas, sobre a "instituição das *berdaches*" entre algumas sociedades "simples" da América do Norte. As *berdaches* eram indivíduos que, nascidos homens, passavam a adotar vestimentas e comportamentos femininos, executavam tarefas e atividades nitidamente destinadas às mulheres e praticavam sexo com homens, geralmente

---

[1] Nas primeiras elaborações da antropologia sobre esses fenômenos, utilizava-se, para definir e analisar essas práticas, o termo "inversão" sexual, depois substituído por "inversão" de gênero. Utilizo a expressão "transformação" do gênero, que julgo ser mais ampla e abrangente, porque compreende em seu escopo um sem-número de possibilidades de práticas e gêneros. O termo "inversão", por sua vez, foi construído dentro de um quadro de pensamento em que só existem dois gêneros, identificados com a diferenciação anatômica, aparecendo como algo essencializado, bem ao estilo das ciências biológicas. Creio que o termo "inversão" é reducionista e estreito. Prefiro adotar a expressão "transformação", que considera as características culturais e sociais presentes nos processos abordados.

no papel passivo. Esses indivíduos eram reconhecidos como perten-centes ao gênero feminino e desfrutavam de papéis sociais legítimos, e, às vezes, específicos nas culturas em que viviam. As *berdaches* se tornaram um caso etnográfico clássico de descrição na disciplina an-tropológica e nos estudos de gênero, especialmente para o que hoje, didaticamente, se denomina "Escola Culturalista".

Naquela época, tais estudos e a forma de "desajuste social" que en-focavam foram referidos, por exemplo, por Ruth Benedict (s/d: 287) e Margaret Mead (1988: 281). As *berdaches* foram descritas em diferen-tes sociedades por vários antropólogos,[2] especialmente até os anos 50, em trabalhos cuja ênfase estava na questão da relação entre indivíduo e sociedade e na formação cultural da personalidade. Além disso, es-ses trabalhos pautavam-se pelas idéias de diferença e exotismo do "outro", definidas pela competência antropológica da época. Sugeriu--se, muitas vezes, que a rigidez atribuída aos papéis de gênero nas cul-turas em que se observavam as *berdaches* era o fator que ocasionava uma forma institucionalizada de homossexualidade masculina.

De fato, pessoas que vivenciavam papéis sociais semelhantes aos das *berdaches* foram documentadas por antropólogos em várias socie-dades "primitivas". Podemos apontar como exemplos: o caso das *mahu* do Taiti, descritas por Levy (1971), que ocupariam um impor-tante papel na definição das identidades daquela comunidade ao de-monstrar, para homens e mulheres, o que eles não deveriam ser; o das *xanith* de Omã, relatadas por Wikan (1977), cuja ocupação mais co-mum é a prostituição e que, segundo a autora, conformariam um ter-ceiro gênero naquela cultura; o das *fa'afafine* de Samoa, narradas por Mageo (1992), que, devido às mudanças na cultura samoana, estão crescendo em número e em visibilidade pública; o das *panema* entre os guaiaqui do Paraguai, descritas por Clastres (1990), que seriam homens que perderam sua função de caçadores, passando a portar uma cesta e não mais um arco, respectivamente os símbolos maiores do feminino e do masculino naquela cultura.

---

[2] Para uma revisão ampliada sobre a aproximação da antropologia com o tema das *berdaches*, ver Roscoe (1995); para uma revisão analítica sobre o uso do termo *berdache*, ver Goulet (1997). Talvez uma obra de referência e pioneira sobre o assunto na antropologia seja o artigo de Devereux (1937).

A maioria dos trabalhos citados, no entanto, restringe-se à descrição do exótico, identificando as diferentes personificações das transformações de gênero diretamente com a homossexualidade ocidental, pouco avançando no debate sobre a construção cultural do corpo e do gênero.[3]

Restrita a investigações sobre o fenômeno em sociedades "primitivas", a antropologia desenvolveu poucas ferramentas intelectuais para uma compreensão cultural das transformações de gênero. Essas transformações foram (e continuam sendo) objeto de investigação quase exclusivo das ciências médicas e psicológicas, e mesmo os antropólogos e cientistas sociais que se dedicaram ao tema utilizaram idéias e vocabulários gestados nessas disciplinas, num exercício que contribuiu para formatar uma visão "essencialista" do assunto,[4] isto é, uma concepção que não leva em conta os conteúdos culturais presentes nos processos.

Gilbert Herdt exemplifica como as descrições sobre as *berdaches* sempre tenderam a identificar uma base biológica para seu comportamento, coerentemente com a ontologia ocidental, que concebe sexo e gênero ligados à biologia, não cabendo nesse quadro explicativo mudanças após o nascimento, exceto para o recente caso do "transexualismo" (Herdt, 1995: 64). Os argumentos essencialistas, que indicam uma causa de ordem orgânica ou, às vezes, psicológica para tais comportamentos, ainda são praticamente hegemônicos nas instituições e no senso comum da sociedade.

Assim, as primeiras abordagens antropológicas sobre as transformações de gênero — sem considerar aqui os esforços da antropologia física para explicar esses fenômenos[5] por meio de argu-

---

[3] Herdt (1996) apresenta críticas aos trabalhos funcionalistas da época, que tendiam a guiar-se por vieses biologizantes, de forma reducionista.

[4] Para uma revisão sobre teorias da homossexualidade no século XIX, veja Hekma (1996) e também Trevisan (1986).

[5] Trevisan (1986: 108 e passim) demonstra como as teorias da criminologia tiveram ampla repercussão no Brasil do início do século XX, especialmente no Laboratório de Antropologia do Instituto de Identificação do Rio de Janeiro. É interessante também consultar Fry (1982c), que faz um relato do tratamento dispensado a um homossexual na época. Para maiores aprofundamentos sobre as relações entre a medicina legal e a antropologia, ver Corrêa (1982).

mentos estritamente anátomo-fisiológicos — guiaram-se pelos conceitos de transexualidade, travestismo e homossexualidade, todos pertinentes às áreas médicas e psicológicas do conhecimento. Esses conceitos argumentam em favor de um "distúrbio" ou "anormalidade" na constituição fisiológica ou conformação psíquica que ocasionaria certo tipo de desejo e comportamento em determinados indivíduos. Atualmente, as principais explicações biológicas para a "origem" da homossexualidade concentram-se em três diferentes argumentos: o primeiro aponta uma causa nos níveis e distúrbios hormonais; o segundo sinaliza para estruturas cerebrais diferenciadas; e o terceiro encontra em um gene ou grupo de genes a origem desses comportamentos, conforme Montes, Caldini & Caldini Jr. (1997).

As dimensões culturais e simbólicas dessas práticas e idéias não encontram espaço no quadro explicativo estritamente formulado a partir de paradigmas "duros", mais pertinentes às ciências exatas e biológicas. A não-consideração das dimensões coletivas e sociais que criam e conformam essas realidades também contribui para reduzir a explicação do fenômeno a uma "culpa" ou a fatores estritamente individuais, o que é, num certo sentido, coerente com a ideologia judaico-cristã de nossa sociedade (Foucault, 1990).

Os primeiros antropólogos que estudaram e descreveram os fenômenos de transformação do gênero não dispunham nem sequer do conceito de gênero para auxiliá-los em suas reflexões. Até os anos 60, quando o movimento feminista passou a ter força reivindicatória, sexo e gênero eram equivalentes nos paradigmas científicos das humanidades. De certa forma, ainda é assim que a maior parte das travestis concebe essas realidades: não cindindo esse "todo" (sexo/gênero) entre um nível propriamente físico (sexo) e outro necessariamente simbólico (gênero). Para as travestis, em sua lógica particular, tudo é gênero, e é esse mecanismo que cria e inventa suas práticas sociais e sexuais bem como aquelas das pessoas com quem convivem.

Em função da parca especialização conceitual, os principais estudos daquela época podem ser qualificados atualmente como "reducionistas" e "preconceituosos", já que a maior parte das análises comporta em si razões ou motivos biologizantes e psicologizantes como pano de fundo de suas reflexões. Tais análises e descrições foram construídas a partir de operações de relações causais (causa--efeito), características das ciências exatas e biológicas, estranhas aos paradigmas atuais das ciências humanas. A contribuição descritiva desses trabalhos é, no entanto, inegável e impulsiona a procurar e interpretar novas lógicas para organizar os fatos e realidades que abordam.

O domínio e a atuação das ciências médicas no campo da sexualidade deixaram heranças: os conceitos de transexualidade (*transsexuality*), travestismo (*transvestism*) e homossexualidade (*homosexuality*) são utilizados até hoje nos trabalhos antropológicos sobre o assunto — por exemplo, Oliveira (1994) e Wikan (1977). Essas categorias, por já fazerem parte do inventário do senso comum, servem praticamente como tradução de um determinado papel social, numa sociedade e época histórica específicas, para uma figura que é uma invenção estritamente ocidental e, com certeza, recente (Foucault, 1990).

Os trabalhos citados não ressaltam as especificidades e particularidades do que sejam, por exemplo, masculino e feminino para os grupos em estudo. Ainda que esses termos sejam interpretados a partir de valores e idéias ocidentais, não podemos simplesmente afirmar que se referem aos mesmos fenômenos, quando se trata de sociedades e épocas distintas (Sahlins, 1994). É claro que existem semelhanças entre as travestis de Porto Alegre e as *mahu* do Taiti (Levy, 1971), mas as diferenças e as especificidades podem ser ainda maiores. Pretendo demonstrar, ao longo do texto, que os conceitos utilizados nos estudos citados traduzem práticas e representações diferentes daquelas construídas pelas travestis em Porto Alegre e na sociedade brasileira.

Se, por um lado, é certo que, compreendendo as sociedades "simples", podemos avançar na compreensão e interpretação de nossas próprias lógicas e dinâmicas culturais, essas comparações, por outro lado, muitas vezes não fazem mais do que "naturalizar" o objeto/prática em questão, suprimindo as demais interpretações e significados, autorizando assim, mais uma vez, os discursos biologizantes e psicologizantes acerca do corpo, do gênero e da sexualidade.

## ANOS 60, GÊNERO E TRANSEXUALISMO

A força do movimento feminista nos anos 60 impulsionou a construção de novos paradigmas nas áreas das ciências sociais e das humanidades. Um desses novos paradigmas — sem dúvida, um dos mais frutíferos e populares — foi a idéia de gênero ou a cisão do conceito de sexo em níveis distintos.

O conceito de gênero provocou grandes transformações e deslocamentos tanto no nível político e das relações entre homens e mulheres, cujas novas dinâmicas são incontestáveis, como no pensamento e na elaboração teórica sobre o social. A partir da formulação e da utilização do conceito de gênero, a antropologia e as ciências sociais passaram a conquistar e explorar novos temas e objetos, imprimindo às análises novas interpretações sobre as diferenças entre homens e mulheres, sobre o corpo, o sexo e as relações sociais.

Simultaneamente ao desenvolvimento do conceito de gênero, as ciências psicológicas geraram, em trabalhos e pesquisas centrados principalmente no então recente conceito de transexual, razões e argumentos hegemonizantes e legitimadores. Essa classificação (Hekma, 1996), inspirada em uma concepção dualista de corpo e conduzindo a uma compreensão do gênero como algo essencializado e imutável, continua a ser legitimada ainda hoje pelos meios de comunicação de massa e respaldada pelas explicações apresentadas pelo senso comum e mesmo por uma parte das travestis e, mais recentemente, pelo movimento organizado de transexuais.

A noção de que o fenômeno da transformação do gênero se resumiria à fórmula "alma/mente de mulher em corpo de homem" é ainda corrente em boa parte da produção teórica sobre o assunto, especialmente no âmbito das ciências médicas e psicológicas. A antropologia e as demais ciências sociais não estão, no entanto, livres dessa formulação. Não raro as travestis, bem como outras expressões do fenômeno *trans*, são tratadas a partir de conceitos como "invertido" (Oliveira, 1994) ou "desviante" (Garfinkel, 1967).

Na década de 60, foram especialmente profícuos os estudos guiados pela psiquiatria que propuseram interpretações para o fenômeno das *berdaches*, até então objeto exclusivo da antropologia. Com argumentos centrados em razões e bases francamente psicanalíticas, Stoller (1993) influenciou uma geração de antropólogos nos anos 70 e início dos 80. O trabalho de Unni Wikan (1977), principalmente, gerou um acalorado debate na tentativa de decifrar se as *xanith* de Omã vivenciam um papel masculino ou feminino ou constituem um "terceiro" gênero, como propõe a autora.[6]

Em que pesem a contribuição e a relevância dos trabalhos de Robert Stoller (1993, 1982) sobre o assunto, ao conter argumentos de ordem moral eles acabaram reforçando a visão, corrente no senso comum e na academia, das travestis como algo "negativo", "desestabilizador" ou "anormal".

Muitas foram as associações entre a antropologia e a psiquiatria para explicar os fenômenos de transformação do gênero. Alguns trabalhos nessa linha tornaram-se clássicos, como o de Garfinkel (1967), que procurou demonstrar quais as estratégias acionadas por uma transexual para relacionar-se cotidianamente com seus pares e para apresentar explicações que argumentem em favor de sua condição. Os trabalhos de Kessler & McKenna (1978) seguem na mesma direção epistemológica de Garfinkel — a da etnometodologia.

Grande parte desses trabalhos, apesar do avanço que significaram na interpretação dos fenômenos referidos, utilizou a ferramenta conceitual gênero como se esta tivesse uma base natural e orgânica, ligada a uma dimensão biológica, e não enquanto uma perspectiva construída a partir de valores, práticas e significados culturais e históricos que podem ser reinterpretados e ressignificados.

---

[6] A publicação do artigo de Unni Wikan (1977) na revista *Man* (vol. 12, nº 2) instigou vários pesquisadores a enviar correspondências a esse periódico propondo novas interpretações para o fenômeno, discordando das formulações da autora sobre as *xanith* de Omã. Para maiores detalhes sobre as discussões acerca do status antropológico deste grupo, consultar Shepherd (1978), Shepherd, Feuerstein, al-Marzooq & Wikan (1978), Wikan (1978) e Brain (1978).

## ANOS 90, VISIBILIDADE *GAY* E TRANSFORMAÇÕES DO GÊNERO

A partir dos anos 90, realizaram-se estudos que, utilizando novas interpretações sobre as concepções do corpo, do gênero e da sexualidade, promoveram avanços e deslocamentos teóricos nas perspectivas sobre as transformações do gênero. No âmbito da antropologia, esses estudos têm se agrupado sob a rubrica *"Gay and Lesbian Studies"*. Essa classificação não implica uma abordagem teórica única, pois está precedida pelo objetivo de promover interpretações culturalistas, que influenciam o modo como a sociedade, em geral, concebe as travestis.

É nesse contexto que se desenvolve o conceito de *"transgendered"*, que traduzo, aproximadamente, como "transformação do gênero". Atribuindo razões e justificativas culturais para o fenômeno, essas pesquisas procuram descortinar os pilares moralistas que sustentam as interpretações tradicionais e/ou do senso comum. No entanto, acabam incorrendo, por vezes, no mesmo erro das perspectivas tradicionais. As peculiaridades e contradições presentes nas diferentes culturas no que se refere à organização e representação do gênero e da sexualidade são reduzidas, em boa parte desses estudos, a uma "personalidade *gay*" ou "cultura *gay*". Assim, aquilo que por origem é relacional, já que só existe em comparação com outras identidades, também formadas no âmbito do social, é, uma vez mais, essencializado e substancializado.

No que diz respeito às travestis, a superação das limitações impostas pelo conceito de "papel sexual" ainda é rara nos trabalhos antropológicos. Mesmo aqueles que vão além das amarras teórico-metodológicas citadas avançam pouco na construção de uma interpretação mais cultural e relacional das travestis, porque acabam por exotizar mais uma vez o objeto, apresentando-o como algo único e especial (Mott & Assunção, 1987; Oliveira, 1994; Cornwall, 1994).

Nos anos 90, houve uma grande proliferação de trabalhos sobre o tema e sua inclusão entre os assuntos "da moda", especialmente nos países do Norte. Muitas pesquisas de antropólogos norte-americanos e europeus realizadas nessa época têm como campo de investigação os países periféricos, entre eles o Brasil. Podemos citar como exemplos dessa produção: a bela etnografia de Kulick (1998a) sobre o gênero e a cultura das travestis de Salvador (Bahia); o livro de Prieur (1998a) sobre os valores do gênero entre as *jotas* da Cidade do México; o trabalho de Klein (1996), que trata da questão do ativismo em torno da epidemia de Aids em Porto Alegre e analisa a mobilização política das travestis; e os sete artigos (Lancaster, 1998; Levi, 1998; Prieur, 1998b; Kulick, 1998b; Klein, 1998; Braiterman, 1998; Murray, 1998) que compõem o número especial da Revista *Sexualities*, intitulado *Transgender in Latin America*. Parece que a América Latina está conformando uma nova "área cultural" nos estudos das transformações do gênero, com uma série de pesquisadores dedicados a documentar e analisar as diferentes formas culturais construídas nesse contexto para dar conta dos valores e práticas sociais relacionados às transformações do gênero.

## ANTROPOLOGIA *TRANS* NO/DO BRASIL

### A FORMAÇÃO DO CAMPO

Só recentemente os pesquisadores brasileiros começaram a incluir a temática das transformações do gênero nas agendas de pesquisa e investigação. Um dos textos sociológicos pioneiros sobre a questão das homossexualidades no Brasil foi "Aspectos sociológicos do homossexualismo em São Paulo" (Silva, 1959). Ainda que não faça referência explícita às travestis, a perspectiva das transformações do gênero está incluída nesse trabalho pela breve análise que o autor faz sobre a questão dos "papéis sexuais de ativo e passivo". No mesmo ano, Roger Bastide (1959) abordou, pioneiramente, a questão das transformações do gênero na cultura brasileira. Esse trabalho, aliás, parece ter sido esquecido por boa parte dos antropólogos que se dedicaram a estudar a questão.

A constituição, por pesquisadores brasileiros dedicados à temática das homossexualidades em nossa cultura, de um "campo de estudos" remonta a, aproximadamente, vinte anos. Alguns trabalhos realizados nessa área, embora não analisem especificamente valores e hábitos das travestis, trazem freqüentes referências e citações sobre esse grupo e algumas de suas práticas. Há vários bons exemplos dessas abordagens: o trabalho de Edward MacRae, que enfoca a questão da formação dos primeiros movimentos reivindicatórios de homossexuais no Brasil (1990); o pequeno livro desse mesmo autor, em co-autoria com Peter Fry (MacRae & Fry, 1983), sobre uma visão antropológica e culturalista da homossexualidade; os textos de Peter Fry sobre as homossexualidades do Brasil (1982a, 1982b, 1982c); as pesquisas de Néstor Perlongher (1987a, 1987b, 1989), que tematizaram a sexualidade dos michês; as investigações de Richard Parker (1991, 1999) e os artigos de Luiz Mott (1988a, 1988b), que apresentam dados históricos sobre a questão das homossexualidades no período colonial.

As religiões afro-brasileiras também se mostraram um campo profícuo de pesquisa sobre o tema. O livro de Ruth Landes (1994) é uma das descrições pioneiras sobre os processos de transformação do gênero observados nos terreiros e casas de religião afro-brasileira. A temática foi retomada por Peter Fry (1982a) em suas pesquisas de campo na cidade de Belém; por Patrícia Birman (1995), que observou o fenômeno nos candomblés do Rio de Janeiro; por Neuza de Oliveira (1994), que pesquisou os terreiros de Salvador; e, a partir dos dados apresentados por Oliveira, por Cornwall (1994), que se dedicou a pensar a aproximação das travestis com as religiões afro-brasileiras; Matory (1994), por sua vez, analisou as metáforas do gênero na cultura ioruba.

Há relatos disponíveis que documentam e certificam que as práticas de transformação do gênero existem há tempos no Brasil, sob as mais variadas formas. Luiz Mott (1988a, 1988b) apresenta relatos sobre aquela que teria sido a "primeira travesti brasileira" (1988c), um escravo vindo do Congo que não respondia ao ser chamado pelo seu prenome masculino e somente aceitava ser tratado pela alcunha de "Vitória". Vainfas (1989) também demonstra que muitas pessoas que se vestiam com roupas femininas foram submetidas ao Tribunal da Inquisição no Brasil seiscentista.

## A EPIDEMIA DE HIV/AIDS E A SEXUALIDADE COMO OBJETO DE ESTUDO NO BRASIL

Com o advento da epidemia de HIV/Aids, foram desenvolvidos, em diferentes áreas da pesquisa social, trabalhos a respeito da questão das sexualidades[7] nos quais a homossexualidade recebeu uma atenção importante. No entanto, poucos entre esses trabalhos trazem no seu escopo a intenção de discutir ou indicar questões sobre as travestis e suas especificidades de gênero em relação com as dinâmicas sociais ou mesmo com a dinâmica da epidemia. Seja como for, esses estudos, mesmo não enfocando especificamente as travestis, tiveram um papel "político" junto à academia: ao colocar as temáticas do corpo, do gênero e da sexualidade em pauta, promoveram um maior interesse, por parte dos pesquisadores e financiadores, em incluir essas áreas nas agendas de pesquisa. Assim, desde o advento da epidemia de HIV/Aids — e do intenso interesse e dedicação que gerou nas diferentes áreas científicas e acadêmicas, especialmente nas humanidades —, os trabalhos dedicados a investigar e analisar as dinâmicas sexuais, corporais e de gênero em grupos sociais "marginais", como é o caso das travestis, passaram a ter certa legitimidade no campo científico brasileiro.

Mesmo assim, as pesquisas que buscam compreender as relações e o modo de vida das travestis são escassas no Brasil. Uma das disciplinas acadêmicas que mais têm se debruçado sobre o assunto é a antropologia, que na última década produziu alguns trabalhos a respeito do tema, pelo visto ainda os únicos textos dedicados especificamente a essa questão.

As abordagens antropológicas trouxeram novos contornos às questões relativas às travestis, que permaneceram por muito tempo como domínio quase exclusivo da medicina e da psicologia e sob a concepção da transformação do gênero como um processo "patológico". A antropologia empresta à compreensão desse fenômeno uma perspectiva mais sociocultural, pouco difundida nas instituições, nos meios de comunicação de massa e entre o senso comum,

---

[7] A coletânea *A Aids no Brasil,* organizada por Richard Parker (1994), é um bom exemplo dessa produção.

que ainda tendem a reforçar as visões essencialistas sobre o assunto, reduzindo as explicações a argumentos de ordem estritamente biológica, quando não moral.

## ESTUDOS BRASILEIROS SOBRE AS TRAVESTIS

Hélio Silva (1993, 1996), Neuza de Oliveira (1994) e Suzana Lopes (1995) publicaram pioneiramente textos sobre as travestis. Recentemente, outros pesquisadores começaram a divulgar seus trabalhos, entre eles Juliana Jayme (1998), Denise Pirani (1997), Marcelo Oliveira (1997) e Cristina Florentino (1998). Com exceção de Lopes (1995), todos os estudiosos citados são antropólogos e efetivaram seus estudos junto às travestis por meio de longas horas de trabalho de pesquisa de campo, como reza o próprio mito fundador da antropologia.

Esses estudos, feitos por brasileiros e dedicados exclusivamente às travestis, me auxiliaram muito na reflexão sobre a realidade encontrada durante o trabalho de campo. Esse material, na construção que realizo das travestis, pode ser entendido como uma baliza. Encontro neles dados comparativos que, guardadas as diferenças regionais, servem como novas lentes para as leituras das realidades que eu experimentei durante o período de trabalho de campo.

Não se pode afirmar que todos os trabalhos desenvolvidos sobre travestis no Brasil seguem uma orientação teórica semelhante. Muitas vezes, as orientações parecem ser, inclusive, antagônicas. O livro de Hélio Silva (1993) foi pioneiro e, num certo sentido, marcou uma nova fase nas pesquisas antropológicas sobre esse tema. Guiado por uma perspectiva dialógica de pesquisa, Silva apresenta, num texto ricamente elaborado, minúcias da vida de travestis cariocas. As construções de gênero são uma preocupação constante em seu trabalho, que, no entanto, não dá muita ênfase às práticas realizadas pelas travestis para transformar o corpo e o gênero. Ainda que sejam alvo de críticas,[8] as informações apresentadas por Sil-

---

[8] Kulick (1998a: 8) apontou possíveis falhas metodológicas no trabalho de Silva (1993).

va são ricas e densas. Seu trabalho tem vida e nele se pode sentir a presença do pesquisador e os desafios por ele vivenciados durante todas as etapas da pesquisa.

O trabalho de Neuza de Oliveira, desenvolvido em Salvador, é radicalmente diferente do anterior. Além de haver entre os dois aproximadamente dez anos de diferença (o de Oliveira foi produzido em 1983, sendo publicado somente em 1994), as perspectivas, tanto teóricas quanto metodológicas, também são nitidamente contrastantes. Neuza de Oliveira (1994: 21) parte de um pressuposto moralista: para ela, as travestis são seres "invertidos" sexualmente. A autora parece ter uma percepção quase religiosa desse grupo, julgando-o sofredor, como se estivesse afligido por uma patologia. Não são poucos os argumentos psicanalíticos acionados na tentativa de explicar o fenômeno com o qual ela se deparou analisando a relação da prostituição a partir de um viés estritamente macroeconômico, com pouco espaço para as práticas e representações criativas desenvolvidas pelo grupo analisado. Essa obra pouco contribui para a compreensão "cultural" ou "construcionista" que aqui se apresenta sobre as travestis.

Lopes (1995) sublinha os processos sociais de transformação e fabricação do corpo e da identidade "travesti", além de ressaltar as intensas situações de violência, física e moral, a que está submetido esse grupo em seu cotidiano. Jayme (1998), por sua vez, procura compreender como se delimitam as fronteiras entre as diferentes personagens no universo *trans* de São Paulo, buscando afirmar as muitas especificidades e particularidades encontradas nesse universo, analisando as diferentes categorias de gênero e de sexualidade.

Pirani (1997), analisando as travestis em Paris, entre as quais há várias brasileiras, está mais preocupada em refletir sobre a interação dessas pessoas na cidade. Seu trabalho ressalta as diferentes dinâmicas de interação com o espaço urbano desse grupo. A autora toma esse objeto para demonstrar uma dinâmica social mais ampla, ou seja, a da criação, circulação e ocupação dos espaços urbanos. Esse mesmo viés foi seguido por Marcelo Oliveira (1997) em sua dissertação de mestrado. Preocupado em demonstrar as interações entre as travestis e entre estas e suas famílias e redes de vizinhança nos diferentes espaços urbanos que habitam e nos quais convivem, Oliveira não ressalta as questões relativas à construção do corpo e do gênero como processos determinantes, inclusive das dinâmicas sociais por ele abordadas.

Cristina Florentino (1998) também pesquisou as travestis em Porto Alegre, analisando, em sua dissertação de mestrado, as relações sociais construídas entre as travestis e entre elas e seus companheiros. Interessada em compreender as formas de construção da subjetividade feminina, a autora encontra nas relações de socialização e de troca entre as travestis o principal meio de formação de uma estética e de valores femininos. A partir das idéias de gênero que conformam essas subjetividades, Florentino buscou entender os princípios e as idéias que esse grupo produziu sobre afetividade, conjugalidade e sexualidade. Produziu, assim, um texto com densidade etnográfica mas que não se detém em demonstrar como o corpo ou mesmo os valores do gênero são produzidos, reformulados e questionados. Além disso, os depoimentos apresentados pela autora tendem a valorizar a opinião de apenas uma informante; as formulações estabelecidas nesse trabalho são, por isso, pouco representativas do conjunto das travestis de Porto Alegre.

## O UNIVERSO DE PESQUISA NO UNIVERSO *TRANS*

Este trabalho é fundamentalmente uma etnografia sobre travestis. A convivência semanal ao longo de quatro anos em diferentes espaços, que me proporcionou momentos inesquecíveis de observação, acrescida das incessantes e incontáveis anotações e relatos de campo, aconteceu em etapas superpostas, que só podem ser concebidas como duas faces da mesma moeda. As nossas intensas observações jamais estarão fielmente presentes em nossos relatos, mas, sem estes, nossos trabalhos seriam apenas colagens de fragmentos, de características episódicas e sem consistência.

Assim, este texto etnográfico foi construído e delineado durante as muitas noites de trabalho de campo e a partir das várias horas aplicadas em anotações e descrições minuciosas. Mais do que um "produto final", constitui apenas mais uma etapa da relação que estou construindo com as travestis de Porto Alegre.

Minha pesquisa foi realizada entre as travestis que se prostituem em Porto Alegre. Há mais de uma área específica de prostituição de travestis nessa cidade, mas todas se caracterizam pelo fato de se localizarem em espaços públicos e abertos. A prostituição de mulheres e de homens se organiza, geralmente, em estabelecimentos conhecidos como "casas de massagem", "agências de acompanhantes", "saunas", "boates", "casas noturnas", entre outros, onde trabalha uma parcela considerável desses profissionais. Embora haja travestis que trabalham regularmente em "casa de massagem", não existe em Porto Alegre nenhum estabelecimento onde trabalhem exclusivamente travestis nem há grande espaço de trabalho para elas nesse tipo de local.

Encontram-se, também sem regularidade, alguns "apartamentos privês", normalmente compartilhados por até cinco travestis, nos quais elas recebem os clientes para os "programas". O "trabalho por anúncio" é mais comum: a cada dia mais travestis adquirem telefones celulares e divulgam os números e seus serviços nos espaços apropriados dos jornais e revistas. Apesar dessas práticas alternativas, a maior parte das travestis trabalha nas ruas da capital. Assim, as zonas de prostituição estão entre os principais pontos de encontro e sociabilidade entre as pessoas desse grupo. Foi em basicamente dois desses espaços que as observações que deram origem a este texto tiveram lugar.

## O ESPAÇO DA ETNOGRAFIA NO ESPAÇO PÚBLICO DA PROSTITUIÇÃO

Quase todos os espaços de trabalho para as pessoas que se prostituem, sejam homens, mulheres ou travestis, estão na grande "fatia" do mapa de Porto Alegre, que compreende a região central e os bairros adjacentes, bem como os bairros ao longo da entrada principal da cidade. Nessa "fatia", as travestis se prostituem basicamente em quatro grandes zonas de concentração, ainda que elas também possam ser encontradas trabalhando em diferentes regiões da cidade, em distintos horários do dia e da noite.

As travestis ocupam, principalmente, uma região ao longo da avenida Farrapos, desde as imediações com o cruzamento da avenida São Pedro até o cruzamento com a avenida Brasil. Nessa região, as ruas paralelas e secundárias, tanto à esquerda quanto à direita da avenida Farrapos, são ocupadas por travestis.

A avenida Farrapos constitui o principal eixo dessa região, na qual se encontram mulheres, travestis e alguns raros homens, em prostituição, além de inúmeras "casas noturnas", onde também trabalham muitas mulheres.

Essa avenida é uma das principais vias da cidade, pois conecta o centro com a Zona Norte (onde reside a maioria da população do município) e boa parte da região metropolitana; é uma das entradas principais para quem chega na cidade vindo de outros estados ou municípios e também a principal via de acesso ao aeroporto. Além de uma série de casas de prostituição, a avenida Farrapos conta com lojas e outros comércios. Essa avenida apresenta tráfego intenso tanto durante o dia como à noite e quase não possui equipamentos urbanos como arborização, praças e parques. Os prédios ali construídos têm em média cinco andares, e a maioria foi edificada nas décadas de 60 e 70, época de intensa transformação em Porto Alegre. Devido ao descuido, já parecem velhos, o que colabora para um cenário um pouco cinza e decadente. À primeira vista, tem-se a impressão de que se trata de uma região pouco habitada, ocupada basicamente pela indústria e pelo comércio. No entanto, há inúmeros apartamentos residenciais ao longo da avenida, ocupados por grande número de moradores.

Nos quarteirões adjacentes, as ruas são um pouco mais agradáveis. À noite, parecem muito escuras, por causa das árvores, que encobrem a iluminação, e conseqüentemente mais perigosas. No quadrilátero formado pelas avenidas São Pedro, Brasil, Voluntários da Pátria e Pernambuco concentra-se o maior número de travestis de Porto Alegre. Esse quadrilátero é percebido pelas travestis como formando duas regiões distintas, entre as quais elas podem se movimentar muitas vezes durante a noite: a "Farrapos" e a "Voluntários" ou "Fundão". Esta última seção se localiza em uma região caracteristicamente industrial do bairro, onde quase não há moradias. À noite, vêem-se ali muitos caminhões estacionados, esperando trabalho para o dia seguinte nas fábricas e indústrias; alguns motoristas desses caminhões são clientes habituais das travestis na prostituição.

A outra região onde também fiz trabalho de campo, promovendo observações participantes e algumas entrevistas, foi o espaço conhecido como "Laçador", que compreende basicamente o quarteirão formado pelas avenidas 18 de Novembro, Farrapos, Ceará e a rua Professor Augusto Severo. Essa região tem muito menos tráfego que a anterior, e as travestis permanecem basicamente numa rua secundária, especialmente ao longo da avenida 18 de Novembro, onde há algumas indústrias, moradias e um restaurante famoso. Aproximadamente dez travestis trabalham nesse local, poucas, levando-se em conta o grande número que freqüenta a outra zona. Essa região se caracteriza sobretudo pelo tráfego reduzido, porque, como me explicou Alice, *"quem tá rodando aqui é porque quer programa..."*.

Há, pelo menos, mais duas áreas conhecidas onde tem lugar a prostituição de travestis, fora do eixo determinado pela avenida Farrapos: uma delas fica na direção da Zona Sul da cidade, no bairro Menino Deus, e a outra, no extremo norte da cidade, nas proximidades da avenida Baltazar de Oliveira Garcia, no bairro Sarandi.

É interessante notar que as travestis costumam trabalhar sempre na mesma área, havendo, às vezes, uma certa "rivalidade" entre aquelas que trabalham em uma região em relação às que atuam em outra, o que não impede que elas circulem entre diferentes espaços em busca de clientes, namorados ou informações.[9]

Nos locais de *batalha* — que é a forma êmica de denominar o ato de se prostituir —, há vários restaurantes e bares onde as travestis por vezes fazem refeições e compram drinques. Esses locais,

---

[9] Essa questão é abordada no capítulo III, seção "O Universo Generificado da Prostituição".

por estarem fora do ritmo intenso de tráfego e circulação incessante de potenciais clientes, mostraram-se excelentes espaços para a pesquisa, acolhendo muitas conversas. Algumas vezes, houve protestos de proprietários ou de clientes devido à presença das travestis: não foram poucos os *escândalos* que presenciei. Os *escândalos* das travestis foram analisados por Kulick (1996), que afirmou tratar-se de uma forma de resistência cultural criativa desenvolvida por esse grupo.

## AS MORADIAS, O ESPAÇO DA PESQUISA ÍNTIMA

Além dos locais de prostituição, onde concentrei os esforços no início da pesquisa, boa parte das observações foi realizada nos locais de moradia das travestis. O padrão encontrado por Kulick (1998a) em Salvador, onde haveria apenas um lugar de grande concentração de travestis, não se repete em Porto Alegre. A grande maioria vive nos bairros periféricos da cidade ou nas cidades da região metropolitana, algumas vezes com a família (pareceu-me mais recorrente que vivam com a mãe, sem a presença do pai, embora este seja um dado ainda impressionista, que mereceria maior atenção). Outras dividem ou possuem casas nas vilas de favelas da cidade.

Algumas travestis vivem na região central, em apartamentos compartilhados, ou em hotéis ou pensões, *"vivendo de diária"*, como elas dizem. Várias travestis, especialmente as novas na cidade, vivem nesses locais. Essa forma de moradia é vista como muito cara e arriscada, porque todos os dias é preciso pagar os valores da diária, sob pena de ficar sem teto. Dado o cotidiano incerto da prostituição, essa despesa diária pode se transformar em uma dívida difícil de saldar.

Muitas travestis vivem em *pensões,* que são normalmente casas em bairros do subúrbio onde vivem, em geral, entre sete e oito travestis. As *pensões* são administradas por travestis mais velhas ou mais experientes, conhecidas como *cafetinas,* que cobram uma *diária* pela moradia. Essa forma de contrato é vista por muitas travestis como algo injusto: reclamam de ser "exploradas" pela *cafetina,* que cobraria muito caro pela hospedagem. Apesar disso, as *pensões* são importantes espaços de moradia para elas, muitas vezes o primeiro lugar em que são admitidas em função de sua transformação. Muitas procuram esses locais ao chegar na cidade pela primeira vez. As *pensões* são, portanto, importantes para a sociabilidade e o aprendizado do universo *trans*. Durante a fase de trabalho de campo pude visitar duas *pensões*, que ainda existem.

Visitar as travestis em suas casas e locais de moradia foi um grande avanço na investigação. A partir dessa etapa passei a ter acesso a informações e realidades até então desconhecidas para mim, pois não tinham espaço nas áreas de *batalha*. Comecei a conhecer melhor as realidades "privadas" das travestis, seus planos e valores para além da prostituição. Foi em suas casas que consegui realizar as entrevistas semi-estruturadas que conduzi por ocasião da pesquisa. Além disso, foram muito ricas as observações pertinentes às práticas e usos do corpo, bem como às relações mais íntimas das travestis, seja com os namorados ou maridos, seja com as outras travestis com quem moram, com a família ou com outros amigos. Freqüentar as casas de algumas travestis possibilitou-me fazer parte de seus cotidianos, realizar atividades e passeios com elas, como visitar amigas, ir ao supermercado e ao salão de beleza, procurar e comprar produtos de maquiagem e hormônios nas ruas centrais da cidade.

## Nas reuniões do GAPA/RS: o espaço da coletividade

As reuniões do Grupo Sistemático de Travestis do GAPA/RS, que acontecem quinzenalmente às terças-feiras, foram outro importante cenário de observação. Esses espaços se mostraram muito produtivos para a pesquisa, pela qualidade das informações ali debatidas. Ainda que não tenham caráter investigativo, esses grupos funcionam nos moldes de um grupo focal, debatendo assuntos específicos a cada dia, utilizando técnicas diversas, como debate em subgrupos, dinâmicas de grupo ou mesmo entrevista coletiva.

As informações obtidas nessas reuniões, embora "contaminadas" pelo discurso que o trabalho da ONG se propõe a formar, foram extremamente úteis, constituindo-se numa fonte importante de comparação e confirmação das declarações coletadas. Essas informações indicaram também possíveis "caminhos" na busca de novos dados referentes a temáticas específicas, como, por exemplo, as relações com os maridos e as questões a respeito da cirurgia de transgenitalização.

## AS INFORMANTES: IDADES, ORIGENS, TRAJETÓRIAS

Nesses três ambientes pude observar aproximadamente 85 (oitenta e cinco) travestis, de diferentes idades, etnias e origens sociais. As idades variam entre 15 (idade de Katherine no início da pesquisa) e 45, aproximadamente (idade de Samantha e Claudine, por exemplo). A maior parte, entretanto, é jovem, situando-se na faixa dos 20 aos 30 anos. À medida que os anos vão se somando, algumas desistem do mercado da prostituição. Muitas faleceram ainda jovens, em função de complicações relacionadas ao HIV/Aids ou vítimas de violência. Sendo assim, são raras as travestis idosas em Porto Alegre, o que por si só já é um bom indicativo de um problema de pesquisa.

Quanto à origem geográfico-cultural, aproximadamente 45% (37 pessoas de um total de 85) migraram do interior do estado para Porto Alegre, principalmente das cidades de porte médio do interior, como Pelotas, Santo Ângelo, Uruguaiana e Bagé.

Há poucas travestis oriundas das cidades das regiões da serra e dos vales. Essas regiões, diferentemente do resto do Rio Grande do Sul, em que predomina a miscigenação entre portugueses, indígenas e africanos, são fortemente marcadas pelas colonizações italiana e alemã. Talvez seja demasiadamente singelo afirmar a existência de alguma ligação entre os diferentes tipos de colonização e um maior ou menor espaço social para as transformações do gênero. No entanto, é difícil não associar a rígida moral católica e a dura ideologia alemã no que concerne às diferenças entre os gêneros ao pouco espaço social para sexualidades e gêneros diferentes em algumas regiões do Sul do país.

Algumas travestis vieram de outros estados do Brasil, especialmente das regiões Norte e Nordeste. Eu pude contar com sete informantes vindas de Belém (Pará), uma do interior da Bahia, uma de Sergipe e uma de São Paulo. As restantes são naturais de Porto Alegre e das cidades da Região Metropolitana, mas estas não constituem, no grupo em estudo, a maioria.

Indicar as diferenças de origem geográfica e cultural é relativamente fácil, traçar distinções no que se refere à origem socioeconômica das travestis que se prostituem em Porto Alegre é tarefa bem mais complicada. As diferenças e características das classes sociais são questões ainda polêmicas nas ciências sociais, e, apesar das muitas ferramentas analíticas e conceituais já desenvolvidas, analisar essas questões é sempre um procedimento arriscado. Quando se trata do grupo das travestis que se prostituem, o desafio não é menor, embora possa ser identificada alguma homogeneidade.

Suas famílias, e falo agora das famílias da maioria das travestis informantes, têm trajetória nas classes de baixo nível econômico. Ainda que algumas diferenças nos níveis de renda, por exemplo, possam ser detectadas, o histórico de privações materiais e trabalho intenso é uma constante nas vidas das travestis; trata-se de um padrão que não varia muito. Algumas obtêm melhores rendimentos na prostituição, o que lhes dá oportunidade de alugar apartamentos nas regiões centrais, adquirir telefones celulares, comprar roupas e acessórios mais freqüentemente e de melhor qualidade. Outras vivem com orçamentos mais apertados, normalmente moram em pequenas casas em vilas de favela e têm menos acesso a bens materiais e culturais. Apesar das diferenças quanto às oportunidades financeiras, o grupo possui níveis educacionais e valores morais e estéticos semelhantes. O ideário é, portanto, bastante homogêneo.

## A OBSERVAÇÃO DA CULTURA TRAVESTI: COLETANDO DADOS E INFORMAÇÕES

As observações participantes foram a principal fonte de informações para a pesquisa. Por estar preocupado em compreender detalhadamente as transformações do corpo e do gênero nesse grupo, o método etnográfico mostrou-se o mais eficaz para a reunião dos dados e compreensão dessa realidade. Foi por meio da observação e das anotações de campo que pude perceber a "lenta" ou "veloz" transformação das formas de seus corpos, bem como apreender os sutis usos, movimentos e valores atribuídos ao corpo e ao gênero.

Apesar da riqueza dos dados coletados por meio dessa técnica, outras ferramentas metodológicas se fizeram necessárias para uma reunião eficiente dos dados e, conseqüentemente, para o bom andamento da pesquisa. Foram realizadas sete entrevistas individuais, com diferentes tempos de duração — normalmente entre uma e três horas — e em diferentes espaços. Cinco delas aconteceram na residência das travestis e foram gravadas em um minigravador. Em nenhum momento dessas entrevistas o uso do gravador se mostrou um obstáculo ou um agente inibidor das declarações e das histórias que elas me contaram; pelo contrário, pude sentir que entrevistá-las com um gravador conferia certa importância a suas opiniões e histórias.

Uma das entrevistas, que também foi gravada, aconteceu numa sala da sede do GAPA/RS, por sugestão da própria entrevistada; e a sétima entrevista teve lugar em um bar próximo à região de prostituição de travestis. Essa entrevista não foi gravada, por objeção da entrevistada, e foi uma experiência um tanto "negativa": assomados pelo movimento de pessoas e tráfego, pouco pudemos conversar sobre realidades e histórias mais íntimas. A entrevistada mostrou-se desconfiada e não quis falar sobre a história de sua transformação nem sobre suas primeiras experiências sexuais.

A seleção do grupo a ser estudado em maior profundidade por meio de entrevistas semi-estruturadas deu-se de forma intencional, tendo em vista a convivência e a relação de amizade e reciprocidade já construída com a maior parte das informantes.

As entrevistas são, de certa forma, representativas, uma vez que foram entrevistadas aproximadamente dez por cento do grupo pesquisado. Os critérios escolhidos para a seleção das entrevistadas foram os seguintes: a idade, pois me interessava conhecer melhor os processos de transformação de forma diacrônica; o montante de investimentos nas transformações do corpo, procurando listar pessoas que já tivessem experimentado muitos processos diferentes para a fabricação de novas formas; a origem social e geográfica, visando a especificar se vinha do interior do estado ou da capital; e, por fim, a disponibilidade e o desejo de ser entrevistada. Este acabou sendo o critério decisivo: as entrevistas foram realizadas somente com pessoas que me pareceram estar mais curiosas sobre a pesquisa e sobre as minhas indagações.

As entrevistas não seguiram um esquema rígido, ainda que tivessem um roteiro mínimo estruturado, que nem sempre se cumpriu. As autorizações para as entrevistas foram dadas verbalmente.

Além das entrevistas individuais, duas entrevistas coletivas foram pontualmente produtivas. Ambas foram realizadas durante as reuniões do Grupo Sistemático de Travestis do GAPA/RS e tiveram como tema a cirurgia de transgenitalização. Na primeira ocasião, estavam presentes nove travestis e na segunda, doze. Ainda que não tenham seguido o roteiro predeterminado, as duas situações de entrevista coletiva contemplaram os mesmos itens a respeito do tema e revelaram informações para além da questão da cirurgia para mudança de genitália. Os dados provenientes dessas entrevistas resultaram particularmente profícuos, uma vez que as informações e declarações que pude recolher nessas ocasiões não são assuntos correntes na vida cotidiana das travestis.

## O TRABALHO DE CAMPO: AVENTURAS E IMPASSES DE UM PESQUISADOR PELO MUNDO DA NOITE

Um aspecto característico de todo o trabalho de pesquisa representado neste texto é a incursão pelo "mundo da noite". Aprendi rapidamente que a maior parte das travestis tem hábitos noturnos e expõe-se pouco à luz natural, pois, em geral, dorme durante o dia. Hélio Silva (1993) também notou essa dinâmica entre as travestis do Rio de Janeiro. Assim, uma condição básica para efetivar a observação entre esse grupo foi alterar a minha própria rotina, que até então consistia em viver mais o período do dia e dormir durante a noite.

As cidades grandes possuem muitos grupos e pessoas que, com os mais diferentes objetivos, habitam o "mundo da noite" — uma dimensão espaço-temporal em que práticas sociais específicas são experimentadas, outros códigos e valores estão em jogo e têm lugar emoções e sentimentos específicos. Viver o "mundo da noite", porém, não se resume a uma inversão de rotinas. Pesquisar no "mundo da noite" é, antes de mais nada, um processo de familiarização com novos sujeitos sociais, práticas e valores. Logo no início do trabalho de campo, cada vez que eu chegava à *quadra*, sentia-me desembarcando em Trobriand. A imagem clássica, apresentada por Malinowski (1976), do barco deixando a ilha e do antropólogo sozinho na praia, cabia muito bem para descrever os meus sentimentos quando descia do táxi e chegava no *Fundão*.

Como todo marinheiro de primeira viagem, sentia medo. Medo do escuro, da velocidade dos carros, do fato de haver muitas pessoas circulando, dos olhares inquisidores; medo da violência e da polícia, rondando incessantemente; medo de não ser aceito ou cometer alguma "gafe cultural" entre as travestis; medo de emoções e situações desconhecidas e, por vezes, medo da própria etnografia.

Questionava-me sobre essa prática científica que expõe o pesquisador a uma situação de "fragilidade" social, que o faz experimentar sensações e emoções inéditas. Enfim, o medo foi um sentimento importante na prática da etnografia, porque me mostrou que este não era um privilégio meu, de antropólogo iniciante. O medo é um sentimento corrente no "mundo da noite" e talvez um dos mais presentes. Não afirmo que todas as pessoas que estão nesse mundo se guiem pelo medo, mas aprendi que esse sentimento pode ter conotações diferentes daquelas, negativas, que habitualmente lhe atribuímos. O medo, mais do que episódico, parece ser uma constante na vida dessas pessoas: medo de não ter casa, de não ter comida, de não ter parcerias, de ser socialmente excluídas, da violência etc.

Aprendi também que o medo, antes de ser imobilizador, pode ser uma força motriz fundamental. O medo ensina as pessoas a não ficarem imóveis em uma situação crítica, mas a se colocarem ativamente para resolver os problemas. O medo também auxiliou na minha integração com o grupo, porque foi o primeiro sentimento que identificamos ter em comum, que já dividíamos, e isso foi um dos motivadores de nossas amizades.

Ainda temeroso com o mundo da noite, comecei a perceber que, antes de ser um obstáculo, estar "tenso" poderia me auxiliar na tarefa de compreender as práticas e valores sociais das travestis. Percebi, assim, que algumas facilidades para o trabalho de campo poderiam advir justamente da "hostilidade" que aparentemente reveste esse universo. Descobri, por exemplo, que, em vez de retraídas ou desconfiadas com alguém curioso e que partilhava os espaços da *batalha*, as travestis estavam absolutamente abertas e receptivas para as minhas muitas dúvidas e perguntas incessantes. Sempre se mostraram falantes e sem rodeios, guardavam histórias para me contar, faziam questão de me integrar entre elas.

Creio que viam em mim uma pessoa diferente, pertencente a outro contexto social e cultural e que representava uma possibilidade de integração e conhecimento de uma realidade social estranha para elas. Assim, enquanto eu fazia observação participante com elas, elas também me "etnografavam".

Por mais que eu fosse curioso e questionasse sobre suas vidas, aprendi logo que a relação não poderia ser desigual: as travestis reivindicavam para si o direito de saber sobre a minha vida particular, sobre as minhas práticas, desejos e valores, desafiando minhas idéias. A reciprocidade parece ser uma lei unívoca nesse universo cultural, sem a qual não se estabelecem relações sociais. A amizade, a confiança e a cumplicidade que desenvolvi com as travestis estão francamente ancoradas nesse preceito.

Quando pude compreender isto, muitas facilidades se colocaram para a prática da etnografia: as travestis me respeitaram, passaram a se sentir parte integrante da pesquisa, guardaram para mim histórias detalhadas e que julgaram que me interessariam,[10] me co-

---

[10] Fatos dessa natureza no trabalho de campo também foram relatados por Foote-White (1990).

locaram a par de todos os arranjos e distribuições de poder na complexa rede da qual fazem parte, brincaram jocosamente comigo e com minha sexualidade, que foi constantemente questionada e desafiada. Com certeza, o fato de identificarem em mim uma identidade homossexual trouxe um sem-número de benefícios e vantagens: sentiam-se à vontade para me indicar possíveis namorados e desconfiavam, jocosamente, que eu tivesse desejos de entrar no mercado da prostituição. Talvez um orgulho identitário ou mesmo performances e características específicas do universo das homossexualidades tenham propiciado essa maior integração entre eu e elas.

Assim que a confiança se estabeleceu, reivindiquei o direito de aprender o *bate,* ou *bate-bate,* uma espécie de linguagem cifrada, com um vocabulário restrito porém dinâmico, que costuma ser utilizada pelas travestis quando em presença de pessoas estranhas ou possíveis situações de perigo.[11] Às vezes as travestis faziam, na minha presença, comentários nessa linguagem, embora mostrassem, ao mesmo tempo, uma certa resistência em compartilhar comigo esse saber.

Aprendi também que o *bate* é uma importante arma de defesa que elas desenvolveram e que lhes permite se comunicarem sem que todos compreendam o que falam. Assim, quando já dominava razoavelmente bem o *bate,* pude sentir-me totalmente participante, e muitas informações e dados se mostraram mais palpáveis com o auxílio dessa linguagem.

Se por um lado o trabalho de campo no "mundo da noite" se mostrou extremamente prazeroso e frutífero, por outro, não foram poucos os impasses e as dificuldades. Além do medo, simultaneamente um elemento facilitador e obstaculizador, muitos outros fatores se colocaram como complicadores da prática da etnografia. Uma das primeiras características que saltam à vista é a extrema di-

---

[11] Boa parte do vocabulário do bate-bate parece derivar da língua ioruba utilizada nos cultos de religiões afro-brasileiras. Elaborações mais detalhadas sobre o bate podem ser conferidas em Müller (1992) e no *Dicionário de bonecas,* livreto lançado por Jovana Baby, uma influente travesti carioca que atua no movimento organizado de travestis.

ficuldade econômica de algumas travestis. Assim, às vezes, elas viam em mim uma possível fonte de solução para a opressão e a escassez que vivenciam diariamente. Em muitas oportunidades, pude observar o radical desespero de algumas travestis para conseguir dinheiro para matar a fome e pagar a cama do próximo dia. Isto demonstra que é absolutamente equivocada a crença de que a vida na prostituição é uma "vida fácil".

A violência também se mostrou assustadora e, por vezes, imobilizadora de minhas ações no campo. Essa violência resultou em mortes durante o período de trabalho de campo. Embora eu só tenha presenciado poucas, nenhuma de maior gravidade, houve muitas situações de violência extrema na *quadra*. A polícia, os transeuntes, os clientes, as travestis e seus maridos não raro envolveram-se em lutas e brigas, algumas vezes utilizando armas brancas e de fogo.

Quatro informantes foram assassinadas durante o trabalho. Esses momentos, tensos e tristes, levaram-me a redimensionar e reavaliar minha presença entre as travestis. A essas mortes, extremamente violentas e mesmo aterrorizantes, somam-se outras dez por complicações derivadas do HIV/Aids. Além disto, houve dois suicídios no período. A perda de pessoas e das relações que havia construído me conduziu a questionar o meu papel ali, em um grupo tão vulnerável, marcado pela violência e pela exclusão social.

Aprendi que a violência parece ser um código legítimo e possível no mundo da noite, tanto pelo anonimato como pela possível impunidade que caracteriza esse contexto. Ações violentas, físicas ou simbólicas, são dirigidas diariamente contra as travestis. Elas também vivenciam cotidianamente situações de exclusão e estigmatização pautadas pela violência, o que lhes dá certa legitimidade para utilizar esse artifício. A violência, ainda que assuste e seja reprovada no universo *trans*, não causa tanto espanto. Algumas situações violentas são, inclusive, entendidas pelas próprias travestis como a única solução para um impasse. Ademais, as próprias práticas de transformação corporal que elas levam a cabo são violentas, pois machucam e provocam dor.

A banalização da violência que existe no universo *trans* e no mundo da noite é constitutiva dos valores e códigos presentes nesses contextos. Assim, não é à toa que o medo é um dos sentimentos onipresentes e que serve de guia para as ações de muitas pessoas que habitam esse universo. A violência simbólica é fato corriqueiro; e a violência física parece ser, na opinião de muitas travestis, legítima, uma linguagem próxima e possível.

## QUAL ÉTICA? VALORES CULTURAIS NA PESQUISA DE CAMPO

A situação de entrevista trouxe a questão do consentimento das informantes para uso dos dados coletados, entre outras questões éticas. Essa questão, entretanto, dilui-se frente à confiança e ao respeito que nortearam as relações desenvolvidas durante o período de observações participantes, o que permitiu que as autorizações se dessem de forma consensual entre pesquisador e pesquisadas.

Os objetivos e a natureza da pesquisa foram sempre esclarecidos para as informantes, resultando, muitas vezes, em discussões e debates entre nós durante a convivência nos diferentes momentos do trabalho. Dada a característica exógena da pesquisa científica nesse universo, essas discussões não se estendiam muito. Nessas ocasiões, as travestis demonstravam o desejo de compreender o que é antropologia e como se realiza a prática da pesquisa científica, coisas às vezes muito difíceis de explicar. Os argumentos de ordem racional, às vezes, se mostravam pouco eficientes para oferecer justificativas acerca da idoneidade da pesquisa. No entanto, a relação de confiança, respeito e amizade por nós construída autorizava as perguntas estranhas e a sede de informações que eu manifestava.

A Associação Brasileira de Antropologia, em seu código de ética, não estabelece como condição obrigatória o consentimento formal e por escrito para a utilização das informações coletadas em entrevistas. Essa prática, no entanto, é comum nas pesquisas na área médica, em que há intervenção física em seres humanos ou investigação clínica dessas intervenções. O instrumento formal de consentimento, quando solicitado a grupos pouco letrados, em situação socioeconômica precária, com pouca informação sobre os procedimentos científicos e quase nenhuma inserção nas esferas públicas de reivindicação de direitos — grande maioria das populações das quais a antropologia se ocupa —, acaba sendo mais uma violência simbólica a oprimir as pessoas em estudo. Resumir toda a questão ética da pesquisa, especialmente daquela que se debruça sobre as relações sociais, a um instrumento jurídico-legal parece uma solução formalista e que não produz avanços no que se refere ao respeito às particularidades e especificidades dos grupos culturais, que constituem o núcleo ético da situação de investigação.

Durante a pesquisa etnográfica, muitas são as relações demoradamente construídas, de confiança ou desconfiança, que ilustram o vínculo entre o pesquisador e as pessoas do grupo em estudo, constituindo uma prova ética de que a investigação em si está construída a partir de valores éticos de respeito. É a própria reciprocidade da situação da pesquisa etnográfica que produz o consenso acerca do consentimento para a utilização dos dados.

Por fim, gostaria de esclarecer que todos os nomes empregados para identificar as informantes desta pesquisa são fictícios e foram criados pelo pesquisador. Na verdade, não tive acesso a seus nomes de registro civil, que são abandonados em função dos processos de transformação do gênero, do qual a criação de um nome feminino é etapa constitutiva. Assim, alguns nomes usados aqui podem assemelhar-se aos nomes femininos empregados pelas travestis, até porque muitas informantes têm mais de um (codi)nome feminino, geralmente empregados a partir de uma lógica situacional. Podem ter um ou mais nomes na prostituição; outro nome artístico para shows e desfiles; e, ainda, seu nome de batismo.[15] O nome que lhes atribuí é apenas mais um, e se justifica pela situação da pesquisa científica e pelos valores éticos de respeito e garantia de suas especificidades e identidades, tão prezadas pela antropologia.

---

[12] Esse ponto está mais bem detalhado no capítulo III, seção "O ingresso na rede de travestis: aprendizado do gestual, das transformações corporais e dos valores dos gêneros".

## ENTRE CURVAS E SINUOSIDADES:
## A FABRICAÇÃO DO FEMININO NO CORPO DAS TRAVESTIS

O homem existe em função do seu corpo (Le Breton, 1996). As travestis, quando decidem se transformar, física e socialmente, são, com certeza, um exemplo dessa assertiva. É no corpo que elas localizam os principais símbolos do masculino e do feminino; e investem conhecimento, tempo e dinheiro para que possam ostentar, sentir e exibir um corpo diferente, um novo corpo. Mas como pensam e concebem esse novo corpo? Com que formas, com quais contornos, que texturas?

Este capítulo descreve os diferentes recursos que as travestis empregam para transformar seus corpos de forma a se construir constituindo uma imagem e uma identidade 'femininas'. Para iniciar, julgo importante situar as principais elaborações teóricas acerca do corpo na antropologia, esclarecendo alguns conceitos e interpretações pertinentes a essa área de estudos. Longe de querer oferecer uma revisão teórico-conceitual do corpo, esta seção procurará apenas ressaltar alguns pontos fortes do debate atual sobre o corpo no campo antropológico.

### O CORPO: DE MAUSS AOS ANOS 90

Há muito que o corpo tem sido objeto de atenção e investigação da antropologia. À primeira vista, o corpo pode parecer desprovido das dimensões simbólicas e culturais que a antropologia se dedica a compreender. No entanto, desde Marcel Mauss (1974a), que foi um dos primeiros estudiosos a ressaltar o papel da cultura na conformação do corpo, a antropologia tem trazido à tona essa questão, com o franco objetivo de validar o corpo enquanto objeto de estudo, desvinculando-o das determinações físico-biológicas emprestadas pela medicina e ciências correlatas, quase sempre soberanas no que diz respeito às explicações acerca desse objeto.

Mauss procurou explicitar que as práticas e usos do corpo são diferentes segundo o meio cultural, antecipando, de certa forma, aquilo que se revelaria como uma das principais preocupações da Escola Culturalista Americana, como mostram os trabalhos de Ruth Benedict e de Margaret Mead, por exemplo (Lévi-Strauss, 1974: 2). Desde então, o corpo tem merecido atenção dos antropólogos no que tange aos mais diversos aspectos, da sua apresentação ao seu funcionamento. Ademais, é no corpo que podemos localizar os acontecimentos sociais mais elementares, como o nascimento, a reprodução e a morte, os quais, sabemos, estão pautados em significados culturais (Augé, 1986).

Além de sugerir um profícuo campo de investigação, o corpo vem se tornando objeto de interesse teórico na antropologia. A partir das análises que têm o corpo como objeto, passaram a ser desenvolvidos conceitos e noções, de forma a oferecer uma compreensão avançada do fenômeno. Desenvolveu-se também uma área específica destinada às preocupações com o corpo, conhecida como antropologia do corpo e da saúde ou antropologia médica, para a qual os antropólogos brasileiros, em que pesem as diferentes (in)definições epistemológicas, têm contribuído de forma sistemática e original.[1]

Na atualidade, um dos principais impasses nas análises desse fenômeno encontra-se na polaridade estabelecida entre corpo e alma/mente, que caracteriza nossa tradição cartesiana. A crença na

---

[1] Publicações brasileiras interessantes que dizem respeito ao campo da antropologia do corpo e da saúde podem ser encontradas em Duarte & Leal (orgs.) (1998); Alves & Rabelo (orgs.) (1998); Alves & Minayo (orgs.) (1994); Leal (org.) (1995), entre outros.

independência da mente nos faz ver no corpo apenas um suporte inerte para os feitos pessoais e culturais, os verdadeiros sentidos residindo nos níveis racional e mental. Nesse quadro, que atualmente parece superado na antropologia, pelo menos no âmbito conceitual, a mente/alma ocuparia um lugar mais próximo da cultura, porque inventiva, criativa, artificial, em contraposição ao corpo, identificado com as qualidades naturais e imutáveis da biologia.

Mauss faz essa distinção, ao analisar a temática, em artigos separados: "As técnicas corporais" (Mauss, 1974a) e "A noção de pessoa, a noção do eu" (Mauss, 1974b), ambos já clássicos na literatura antropológica. Desde então, muitos autores têm produzido obras e conceitos que se propõem a superar a dicotomia e a demonstrar a artificialidade dessa cisão, coerente apenas com os valores da cultura ocidental moderna.

Alguns conceitos que procuram superar essa divisão podem ser encontrados, por exemplo, na obra de Pierre Bourdieu e de Thomas Csordas. Bourdieu (1994, 1995, 1980), em sua teoria da prática, afirma que o corpo é o espaço onde está a cultura, onde se situam os principais esquemas de percepção e apreciação do mundo, formados a partir das estruturas fundamentais de cada grupo, como as oposições entre alto/baixo, masculino/feminino, forte/fraco etc. A cultura é incorporada por meio de um mecanismo básico que ele denomina *habitus*. Assim, o *habitus* é a própria naturalização da cultura, porque é o operador lógico que promove a ligação entre um nível propriamente simbólico (cultural) e o espaço corporal (natural). Assim, segundo Bourdieu, não haveria um estrato puramente biológico do corpo, governado por leis naturais, como querem as ciências médicas e biológicas. O corpo, mesmo no seu nível mais "natural", é um produto social, porque esta (de que há um nível puramente natural) é a nossa representação sobre ele.

O corpo é formado, para Bourdieu, segundo alguns esquemas cognitivos de oposições básicas que produzem sentidos para práticas, crenças, atitudes e relações. Assim, as experiências práticas do corpo estariam informadas e formadas pelos esquemas de percepção e apreciação que sustentam as estruturas fundamentais do universo social de cada grupo. As representações, para Bourdieu, são incorporadas, estão presentes no corpo como um todo, porque a cultura está incorporada, e não é vivida como uma determinação de uma estrutura superior e externa ou como um esquema simbólico depositado sobre o corpo. Essas formulações pretendem superar aquelas interpretações que localizavam a cultura em um nível "mental" ou mesmo "racional", no estilo positivista durkheimiano e também maussiano.

Thomas Csordas (1988, 1994), a partir do conceito de *habitus* de Bourdieu e dos desenvolvimentos da teoria da percepção de Merleau-Ponty, pretende emprestar ao corpo uma qualidade maior: para ele o corpo não é apenas um tema de estudo da antropologia, mas, antes, um paradigma, um método para a disciplina; o corpo é "a base existencial da cultura" (1988: 5). Csordas desenvolve o conceito de *embodiment* para dar significado a essa participação do corpo na produção dos sentidos e símbolos atribuídos às mais variadas práticas sociais. Para este autor, o corpo não é um suporte de significados, mas um elemento produtor e o cenário primeiro desses significados. É no corpo e por meio dele, segundo a teoria do *embodiment*, que os sentidos atribuídos ao masculino e ao feminino pelas travestis, por exemplo, se concretizam.

Numa direção semelhante, Scheper-Hughes & Lock (1987) apresentam o conceito de *mindful body*, que pretende superar as divisões tradicionais entre corpo e mente, uma vez que as autoras acreditam que as concepções sobre o corpo são fundamentais para os pressupostos epistemológicos que orientam os desenvolvimentos teóricos na antropologia. Assim, o corpo deve ser concebido para além das tradicionais divisões entre físico/mental, espírito/matéria, racional/irracional. Para superar essas oposições típicas da cultura ocidental moderna, apresentam o corpo como um artefato produzido simultaneamente pela cultura e pela natureza, concomitantemente físico e simbólico, tripartido entre um nível individual (o corpo individual), um nível social (o corpo social) e um nível político (o corpo político).

Não cabe alongar a apresentação das minúcias teóricas contidas em cada formulação, mas ressaltar a importância que essas noções assumem neste trabalho. Os dados e as informações sobre as modificações e intervenções corporais levadas a cabo pelas travestis aqui descritas foram recolhidos e observados pelo prisma da não-separação dos níveis físico e simbólico. As travestis, ao investir tempo, dinheiro e emoção nos processos de alteração corporal, não estão concebendo o corpo como um mero suporte de significados. O corpo das travestis é, sobretudo, uma linguagem; é no corpo e por meio dele que os significados do feminino e do masculino se concretizam e conferem à pessoa suas qualidades sociais. É no corpo que as travestis se produzem enquanto sujeitos.

## AS TRANSFORMAÇÕES *NO* E *DO* CORPO: TORNAR-SE UMA TRAVESTI

Nas próximas seções deste capítulo apresento uma descrição dos principais processos criados e experimentados pelas travestis para levar a cabo o projeto de ser feminina. As alterações corporais são muitas e vivenciadas de diferentes formas. Ainda assim, creio ser possível apresentá-las em uma seqüência, que me pareceu a mais comum, que vai do externo para o interno, do temporário para o permanente. Isto, entretanto, não quer dizer que todas as travestis que contribuíram para a pesquisa tenham vivenciado seus processos de transformação nessa ordem ou dessa forma. Trata-se de um recurso narrativo, que julgo o mais apropriado para que os leitores tenham a real dimensão da importância dessas modificações na vida das travestis.

### AS MÃOS E UM CARÃO

As mãos e a cabeça são as primeiras partes do corpo a serem "feitas", talvez por ser um processo mais fácil, menos invasivo se comparado ao uso de hormônios e às aplicações de silicone, que adiante serão descritos. Nas mãos inicia-se um trabalho intenso com as unhas. O esmalte colorido ainda é um produto fortemente associado às "mulheres" em nossa sociedade. As unhas começam a ser cuidadas com muito esmero e esmalte. As travestis normalmente preferem as unhas compridas e pontiagudas.[2] A maioria usa freqüentemente esmaltes coloridos; algumas utilizam apenas um brilho leve (que pode ser usado de dia e à noite). Os tons mais utilizados pelas travestis são as muitas nuanças de vermelho, que são quase imperativas, e também as cores da moda, ditadas pelo mercado. As unhas postiças (fabricadas em porcelana) também são conhecidas entre as travestis, embora pareçam ser mais utilizadas por aquelas que "fazem shows" (normalmente números de dublagens de cantoras nacionais e/ou internacionais em boates e ambientes de freqüência homossexual) ou em situações festivas, para as quais a produção é meticulosamente planejada.[3]

Da mesma forma, toda a maquiagem para o rosto — boca, pômulos, pálpebras, olhos e toda a tez — começa a ser utilizada pela (ainda) *bichinha* ou *bicha-boy*, que aos poucos vai ganhando intimidade e conhecimento de todo o processo de transformação. Poderíamos talvez identificar uma "fase de transição" entre o menino e a travesti, quando ele vai experimentando pequenas alterações no corpo, normalmente modificações facilmente reversíveis, mas que servem para uma identificação com os atributos do feminino. Ao se referir a esse período, as travestis se utilizam da categoria *bicha-boy*.

A maquiagem tem um papel importantíssimo: além de ser uma prática historicamente associada ao feminino em nossa sociedade[4] e contribuir para ressaltar ou ocultar determinados traços do rosto, cumpre a função essencial de ocultar os pêlos da barba. Aprendi isto logo que conheci as primeiras travestis. Lembro-me de Claudinha contando sobre o dia em que não teve tempo de se barbear e precisou procurar um advogado: *"Botei dois quilos de concreto na cara e fui falar com o advogado!"*.

Assim, camadas de base e pó compacto são aplicadas sobre a face, com o objetivo de formar uma *pele de pêssego*, uma pele com

---

[2] O fato de as unhas serem "afiadas" normalmente é relatado como um incômodo no momento de utilizar preservativos, uma vez que podem rasgar a camisinha.

[3] Sobre o assunto das montagens, veja neste capítulo a seção "Sapatos e Roupas"; sobre a vida na prostituição, consulte o capítulo III, seção "O Universo Generificado da Prostituição".

[4] Sobre as associações entre o feminino e o embelezamento, ver Sant' Anna (1995).

aparência lisa e macia, que disfarce a *linha de expressão*, como são denominados pelas travestis os traços do rosto que perfilam o nariz. A base e o pó compacto constituem importantes instrumentos na construção corporal das travestis. Elas usam esses produtos diariamente, em quase todas as situações públicas, especialmente quando saem para o trabalho na prostituição. É a parte do processo de maquiagem mais caprichada e meticulosamente executada, incessantemente retocada, principalmente durante a noite. É a garantia de que a pele adquira uma aparência macia e suave, o que, no entender das travestis, são traços importantes na fabricação do "feminino".

Outros produtos, como o *blush* (normalmente em tons vermelhos e vivos, usado para ressaltar a vivacidade dos pômulos), também são usados, embora mais raramente, em geral em ocasiões festivas ou em maquiagem para "shows". Observa-se, contudo, que o *blush* está caindo em desuso, tornando-se obsoleto uma vez que seu objetivo já não é mais importante na lógica de diferenciação dos gêneros.

O batom é normalmente um dos primeiros produtos de maquiagem experimentados na trajetória do processo de transformação do gênero pelas travestis. É aplicado com o intuito de *fazer* a boca, isto é, imprimir um formato mais redondo ou mais alongado. Por vezes, esse efeito também é alcançado com o auxílio dos lápis para boca, que colabora na definição dos contornos dos lábios, ampliando-o ou diminuindo-o. Não há travesti que não utilize batom. É o item básico da maquiagem e, normalmente, o último a ser aplicado, isto é, somente é utilizado quando os outros produtos que compõem a maquiagem já foram devidamente empregados. Há travestis que utilizam somente o batom na sua produção, e não há bolsa de travesti que não leve em seu interior pelo menos um exemplar desse produto. A boca vermelha é considerada pelas travestis uma insígnia por excelência do "feminino", especialmente porque é formada como se comportasse em si uma sensualidade/sexualidade instigante, na opinião delas quase irresistível para os desejos dos homens.

Cosméticos para os olhos e pálpebras, como o rímel, o delineador, a sombra e o lápis ou *kajal*, também são amplamente empregados. Normalmente os olhos são "desenhados" com o auxílio desses produtos, de forma a tornar o olhar mais lânguido, mais insinuante (ao que me parece, normalmente associado a formas alongadas do olho, com traços bem marcados). Os olhos das travestis não são caracterizados somente por produtos cosméticos, mas há um investimento em transformar a expressão do olhar, tornando-o menos objetivo, mais confuso e perdido, mais delicado, quase inocente e indefeso. Segundo as travestis, essas características podem ser adquiridas até mesmo quimicamente, como me disse Gabrielle: *"(...) até a expressão do olhar de quem toma hormônio é diferente, é mais feminina"*. Outros recursos para realçar os olhos também podem ser acionados, especialmente os cílios postiços e as lentes de contato coloridas. Estas últimas gozam de grande *status* entre as *"bichas"*, sendo amplamente empregadas, especialmente as azuis e verdes.

É certo que a produção da apresentação do rosto é, de todo o processo de *"montagem"*, a parte que leva mais tempo, sendo realizada com atenção redobrada. A maquiagem, com todos os produtos, macetes e técnicas, é um fator importantíssimo no processo de construção da corporalidade e do gênero travesti. Por outro lado, constitui também, levando-se em conta a situação econômica da maioria das travestis, um dispêndio mensal significativo. Todos os meses, elas priorizam a compra de algum novo produto para a maquiagem, especialmente batom e base, que são indispensáveis.

## Pêlos e cabelos

Para as travestis, as características corporais são fundamentais no esquema de diferenciação dos gêneros. Elas consideram os pêlos, e especificamente a barba, como um dos signos que mais fortemente representam o masculino. Os pêlos, portanto, são considerados um obstáculo constante na fabricação/construção do corpo travesti. As travestis lutam cotidianamente contra a proliferação dos pêlos no corpo, especialmente os da barba — pois o rosto, sendo a apresentação da pessoa, é a parte do corpo que, segundo o ponto de vista nativo, deve dar a ver o maior número possível de atributos femininos. Assim, várias técnicas são desenvolvidas e acionadas para diminuir o ciclo natural de produção de pêlos pelo organismo e eliminá-los sem que o processo prejudique ou produza efeitos indesejáveis na textura da pele, que precisa ser macia e lisa.

A pinça é um instrumento básico de qualquer travesti e é muito difícil encontrar uma que não carregue esse instrumento na bolsa. Ela pode desempenhar duas funções importantes: acabar com a barba e modelar a sobrancelha. A barba é arrancada fio a fio com o auxílio desse instrumento (e às vezes sem o uso de espelho),[5] num trabalho minucioso e paciente. Às vezes, gastam-se horas em função do *chuchu* — forma como as travestis denominam a barba, talvez pelo aspecto espinhento do legume, ao qual um rosto barbudo se assemelha, que precisa ser diariamente "dizimado". Não há hora certa para dizimá-lo: o extermínio da barba é feito diariamente, nos momentos vagos do dia, realizado quase como um passatempo, uma atividade para preencher as horas. Das entrevistas que realizei, quatro foram acompanhadas de tratos na barba com a pinça.[6]

Algumas travestis, entretanto, não têm tanta paciência e utilizam aparelhos de barbear comuns, ainda que o resultado não seja muito satisfatório: a pele fica áspera e perdem-se pontos na construção de uma *"pele de pêssego"*, inclusive porque o pêlo, segundo elas, tende a nascer cada vez *"mais forte"*. Essa técnica exige o acompanhamento de uma maquiagem *"de reboco"*,[7] para que as marcas dos fios na pele sejam eficientemente disfarçadas e a cútis adquira uma aparência suave e delicada.

Outra técnica amplamente empregada é a depilação dos pêlos faciais com cera: aplica-se uma camada de cera depilatória quente ou fria (a quente é mais freqüentemente utilizada) sobre a área a ser depilada e, com um movimento rápido, puxa-se a placa de cera, arrancando os pêlos. Muitas travestis reclamam da dor dessa operação, que, no entanto, produz como recompensa resultados mais eficazes que a lâmina. Segundo as travestis, a cera diminui a quantidade de fios que nascem no rosto

---

[5] Também Lopes (1995) observou a ação da pinça sem o uso de espelho.
[6] Hélio Silva (1993: 37) também registra essa técnica entre as travestis cariocas.
[7] Expressão utilizada por Júlia, uma de minhas informantes.

e faz com que os pêlos nasçam cada vez mais finos, facilitando a eliminação com a pinça e aparecendo menos. A depilação com cera é feita também em outras áreas do corpo, como axilas, virilha, pernas e peito. Esse procedimento é realizado em institutos e centros de beleza[8] ou em casa, normalmente com o auxílio de uma amiga, pois requer prática e habilidade para alcançar certas áreas do corpo. As travestis reclamam muito da dor provocada pela cera, especialmente quando os pêlos da virilha e da região anal são puxados.

A ida freqüente a salões de depilação é um recurso bastante utilizado para *ficar lisa*. Em Porto Alegre, encontram-se alguns salões e centros de beleza que têm ampla clientela entre as travestis. Muitas vezes esses salões têm travestis entre seus profissionais. As travestis preferem utilizar serviços que sejam executados ou administrados por outras travestis, ou por outras *"monas"*,[9] com a esperança de serem bem recebidas e não serem discriminadas, além de considerarem que estas são, via de regra, melhores profissionais.

A eletrólise (técnica que faz uso de um aparelho que elimina a raiz do pêlo, literalmente matando-o por meio de uma descarga elétrica) não é um recurso acionado freqüentemente. Embora quase todas as travestis conheçam o método, poucas se submetem a ele. As duas informantes que investiram nessa técnica o haviam feito na Itália, onde, segundo elas, o tratamento é mais eficiente e de maior qualidade, além de mais barato e mais comumente empregado nos tratamentos estéticos pela população em geral. O tratamento com eletrólise necessita de muitas sessões, que, dependendo da região a ser depilada, podem durar vários meses. Além do alto custo, a eletrólise não goza de muito crédito, porque as travestis acreditam que somente bons profissionais podem realizar essa técnica, sob pena de seqüelas permanentes na textura da pele do rosto.[10] Também acredi-

---

[8] Silva (1993: 36) registrou serviços especializados de depilação para travestis no Rio de Janeiro. Em Porto Alegre há vários salões e centros de depilação freqüentados pelas travestis, mas nenhum oferece serviços exclusivos para esse público.

[9] As travestis utilizam este termo, entre outros, para se referirem umas às outras.

[10] Hélio Silva escreve: "Observo em muitos rostos de travestis uma conformação de pele peculiar, uma aparência de pele irritada, pequenas bolinhas que tornam áspero o rosto glabro. Lucrécia me confirma a suspeita: efeitos de eletrólise malfeita". (Silva, 1993: 37).

tam que a eletrólise não é um tratamento definitivo, pois, ainda que os fios sejam eliminados pela raiz/bulbo, novas formações brotam no rosto, o que exige uma atenção constante e renovada diariamente para que não apareçam. Ainda assim ouvi algumas vezes, incluídos nos planos de viagens para a Itália, relatos sobre o sonho de retirada definitiva dos pêlos da barba. Como me disse Paola: *"Eu quero ir e desacuendar todo esse chuchu."* *"Com eletrólise?"*, perguntei. *"Não sei o que elas fazem que voltam sem barba, mas eu vou fazer o mesmo!."*

Travestis que tomam hormônios, em geral, têm poucos pêlos no corpo e, por isto, resolvem não se depilar ou simplesmente descolorir os pêlos, fazendo com que fiquem menos salientes e mais discretos. A água oxigenada e os produtos descolorantes também são freqüentemente empregados por muitas travestis para disfarçar os pêlos do antebraço e de outras partes do corpo.

As travestis conhecem minuciosamente as opções tecnológicas para dar cabo dos pêlos. Estão a par das novas técnicas que surgem a cada dia, como as que utilizam o raio laser ou mesmo produtos químicos (alguma marca de hormônio que tem ação mais eficaz sobre a produção de pêlos no corpo, por exemplo) para eliminar totalmente ou promover novas conformações dos fios (deixando-os mais finos ou diminuindo sua produção). Três informantes haviam começado recentemente a utilizar um produto chamado AntiWell, anunciado na televisão e comercializado por um serviço de venda por telefone. Esse produto é um líquido indicado para ser utilizado após as depilações, provocando a queda dos pêlos que resistiram ao tratamento. O AntiWell é aplicado diretamente sobre a barba, para fazê-la cair e desaparecer. Segundo declarações, esse produto é altamente eficiente porque é produzido especificamente para esse objetivo.

Na luta contra os pêlos, elas contam com a ação dos hormônios femininos: depois de dois meses de tratamento hormonal, já se pode observar uma diminuição na quantidade e na espessura dos fios. Os pêlos do tórax e das pernas nascem em menor quantidade, e a barba fica mais rala e fina: *"Toca aqui, a gente fica só com uma penugem"*, disse-me Sandra durante uma depilação em casa.

O próximo passo consiste em *fazer a sobrancelha*, isto é, com o uso da pinça, modelar o supercílio de maneira que fique mais fino e curvo, dando ao olho uma forma alongada. Algumas travestis optam pela maquiagem definitiva, que consiste em eliminar por completo os pêlos da sobrancelha e, a seguir, fazer uma espécie de tatuagem na área representando uma nova formação do supercílio, usualmente bem fino e curvo. Esse tratamento é realizado por profissionais especializados em centros de estética. É comum também a retirada total dos pêlos das sobrancelhas com a pinça, seguida pela maquiagem da área, com um lápis ou outro produto semelhante, para desenhar uma nova sobrancelha. Esta, em geral, tem formas curvas e alongadas e espessura decrescente, ou seja, é mais grossa no centro e afina em direção aos cantos. Assim como o batom, a modelagem das sobrancelhas é um dos primeiros artifícios acionados pelas travestis na sua construção. Desde muito jovens, elas aprendem a modelar os supercílios.

Os cabelos também devem ser longos e bem cuidados, sempre com cortes femininos. Poucas travestis usam peruca. A peruca — que é chamada de *picumã* — é valorizada para a produção de um visual diferente, mas, quando utilizada como recurso de alongamento do cabelo (o que denota que quem a usa tem cabelos curtos), pode ser motivo de ridicularização para a travesti, pois a equipara a uma *bicha-boy*.[11]

O uso de tinturas e produtos (des)colorantes nos cabelos é freqüente entre as informantes. Elas se mantêm atualizadas sobre os inúmeros produtos e técnicas que existem para esse fim e conhecem detalhes ínfimos sobre as vantagens e desvantagens de cada um, preços e macetes da aplicação. Todos os produtos existentes no mercado são utilizados ou testados, dos mais modernos e com re-

---

[11] Fernanda Albuquerque (uma travesti) declarou: "Ela não era só um pouquinho melhor do que eu. Meu olhar se acabava no rego que lhe aparecia entre os peitos. Já tinha me condenado: bicha sem peito, sem bunda e com peruca!" (Albuquerque & Jannelli: 1995: 61). Pude observar também aqui um certo "desprezo", uma acusação às travestis que usam peruca, pois estas nem seriam merecedoras da alcunha "travesti", uma vez que sua apresentação é "pouco natural", valendo-se de artifícios pouco legítimos para a construção da corporalidade travesti.

cursos tecnológicos avançados aos mais simples e tradicionais, como o Hené Maru, um produto cremoso usado para alisar cabelos crespos, em geral por pessoas negras. Os cabelos podem variar na cor, na textura, no volume e na forma. Mas têm que ser compridos, o que algumas travestis conseguem "botando", literalmente, um cabelo. Compram mechas longuíssimas e aplicam sobre o seu próprio cabelo por meio de técnicas específicas de entrelaçamento — o *interlace* — feitas em salões de cabeleireiro. Assim conseguem adquirir cabelos compridos de um dia para o outro.

Observei também (esporadicamente) o emprego de apliques ou franjas postiças, para ressaltar determinada característica de alguma personagem. Mas as longas madeixas sempre são exibidas com muito orgulho e, ademais, fazem parte de um jogo de cena muito comum entre as *"monas"*: virar para o lado, jogando, antes do corpo, todo o cabelo, como a mostrar uma certa displicência (quase sarcástica) ou uma descompromissada superioridade sobre todos.

## A QUESTÃO DA VOZ

A voz é outra característica que acusa a condição biológica da travesti. Em muitas situações é a voz que "denuncia" a travesti, prejudicando determinada performance. Algumas *"monas"* acreditam que o hormônio tem ação sobre as cordas vocais, afinando a voz. Mas todas relatam a voz grossa ao acordar — o que, ademais, é sempre motivo de boas gargalhadas. Hélio Silva demonstrou como a voz é o sinete dessa condição biológica (Silva, 1993: 16).

A transformação da fala é feita forçando-se diariamente a voz, de forma que as palavras e os fonemas sejam pronunciados num tom mais agudo, normalmente em falsete. Com o hábito, a nova conformação da voz acaba se impondo, e as travestis utilizam esse tom agudo no cotidiano. Sandra (que trabalha como telefonista) diz, brincando comigo, que *"(...) pela manhã engulo uma dúzia de gatinhos"*, referindo-se ao tom arrastado e manhoso emprestado à voz, complementando a construção do feminino.

## Marcas corporais

Muitas *"monas"* têm marcas de violência e mesmo de automutilação no corpo. Isto é mais comum entre as travestis com mais idade, que viveram "outras épocas". Parece-me que já fazem parte do folclore as histórias de travestis que andavam com lâminas sob a língua para se defender, ainda que a violência seja uma constante na vida dessas pessoas — o que, de resto, deve produzir várias marcas (não apenas físicas, mas também psíquicas e sociais).

Entre as informantes, algumas têm os braços marcados com fileiras de cicatrizes, orelhas rasgadas ou cicatrizes no rosto. Claudete me conta que em outras épocas (há 15, 20 anos) era comum a polícia recolher as *bichas* que estavam se prostituindo e levá-las para o Presídio Central. Isto era muito temido, porque, além de serem humilhadas, eram estupradas e violentadas por boa parte dos encarcerados e dos carcereiros. Para evitar essa tragédia, quando a polícia as apanhava, elas se cortavam nos braços, o que fazia com que, em vez de serem encaminhadas para o presídio, fossem levadas para um hospital, a fim de serem socorridas.

As cicatrizes no rosto, em geral adquiridas em brigas com outras travestis, com clientes ou em outras situações, podem significar um pesado fardo, porque esse tipo de mutilação destrói o rosto, que é a própria apresentação da travesti. Além disso, cicatrizes no rosto podem enquadrar o caráter da pessoa numa categoria negativa.[12] As travestis que as possuem são vistas como "perigosas" porque *"(...) são aquelas que se misturam com os marginais"*, segundo Bárbara. A acusação de *cortada* pode soar pesada em uma discussão, porque se refere explicitamente a um corte no rosto, o que denotaria certas características morais da travesti.

As práticas de automutilação, normalmente realizadas no momento da prisão, também eram acionadas pelas travestis quando já estavam presas, como recurso para serem removidas do presídio para um hospital (um ambiente considerado mais "receptivo" do

---

[12] Quem melhor discutiu a influência de marcas corporais sobre a identidade social foi Goffman, (1978).

que o presídio, onde eram submetidas a constante pressão e violência por parte dos companheiros de cela ou galeria e pelos carcereiros) ou mesmo para serem libertadas, devido ao receio por parte do delegado ou do policial responsável pela operação de assumir responsabilidades maiores.

As cicatrizes por automutilação entre as travestis que se prostituem foram um dos primeiros aspectos que chamaram a atenção dos antropólogos no Brasil. Mott & Assunção (1987) documentaram essa prática entre as travestis da Bahia — e, por meio de fontes documentais, ressaltaram a pertinência dessa prática para todo o Brasil —, enfatizando seu caráter de estratégia defensiva em situações de desigualdade, em que a travesti está prestes a sofrer violência maior do que aquela resultante da automutilação. Indicam que as cicatrizes resultantes das automutilações podem ser classificadas no rol da tatuagem ou de marcas corporais culturalmente provocadas.

Denizart (1998:64) observou essa prática entre as travestis cariocas, apresentando depoimentos exemplares acerca do valor simbólico associado a tais eventos. Kulick (1998a: 8, 33, 217-8), em sua pesquisa em Salvador, também referenciou as práticas de automutilação como uma estratégia de defesa e negociação em situações de risco para as travestis. Essas práticas já haviam sido indicadas, para o mesmo contexto, por Neuza de Oliveira (1994: 74, 148).

Atualmente, entretanto, essas atitudes parecem cada vez mais raras, estando presentes mais nas perspectivas do senso comum sobre as travestis do que em suas próprias lógicas e práticas culturais. O que se nota, com freqüência cada vez maior, é o grande número de travestis que possuem tatuagens no corpo. Embora essa prática seja comum entre a juventude em geral e venha perdendo, nos últimos tempos, seu caráter de marginalidade, chamou-me a atenção o fato de que entre as minhas informantes raras são as que nunca se submeteram a uma sessão de tatuagem. Algumas travestis exibem várias, de diferentes tamanhos, formas, cores e motivos.

Poderíamos, ousadamente, sugerir uma correspondência (ainda que frágil) entre as cicatrizes de violência e automutilação, ostentadas orgulhosamente pelas travestis nas décadas de 70 e 80, com a proliferação das tatuagens entre as travestis nos nossos dias. Ainda que o assunto merecesse um estudo mais detalhado e específico, é significativo que entre as poucas travestis informantes que trazem marcas de automutilação pelo corpo (em geral nos braços) nenhuma tenha o corpo tatuado, enquanto que as travestis mais jovens, que se tatuam em massa, não têm e não querem ter marcas de cicatrizes de ações violentas, especialmente aquelas resultantes de automutilação.

A tatuagem tem um valor simbólico alto no mercado dos bens sexuais, pois está investida de um poder de sedução não-ordinário, algo de outra ordem, "diferente". É uma marca explicitamente "sexy" ou sedutora, inclusive porque algumas estão desenhadas em lugares sugestivos do corpo, ordinariamente investidos de grande valor sexual. As tatuagens são, como todas as marcas e cicatrizes corporais provocadas, um artifício da escritura da memória de um grupo social no próprio corpo dos sujeitos que o compõem.

Outras marcas ou sinais corporais provocados também são comuns entre as travestis. As marcas deixadas pelas aplicações de silicone líquido e aquelas provocadas pelas cirurgias de implante de próteses de silicone são sempre exibidas com uma certa dose de orgulho e respeito, porque atestam os múltiplos esforços e investidas realizados para construir-se, corporal e socialmente, enquanto travesti. Esses sinais podem indicar que a experiência é a forma de conhecimento mais valorizada nesse grupo.

Todas essas intervenções demonstram a ênfase, tão presente entre o grupo das travestis, na noção de que o corpo precisa ser posto à prova, desafiado, reconstruído, ressignificado. O corpo como instrumento e superfície específicos da memória do grupo já foi explorado por Clastres (1990) em sua pesquisa entre os guaiaqui do Chaco paraguaio. Para esse autor, o corpo é um meio de saber social, e é por meio dele e nele que a pedagogia da iniciação tem lugar. "A marca proclama com segurança o seu pertencimento ao grupo" (1990: 128), diz Clastres, porque o corpo individual é o ponto de encontro da cultura do grupo. Entre as travestis, é no corpo que se constroem as dinâmicas e características culturais do grupo. As regras e os sinais de pertencimento são marcados no corpo de forma a não deixar a pessoa marcada nem seu grupo social esquecer do seu lugar no conjunto social.[13]

## Sapatos e roupas

Quando se fala em travesti, a primeira imagem que surge na mente é a de um homem vestindo roupas de mulher. E essa é realmente uma das primeiras atitudes das travestis na construção do feminino. Muitas *monas* me contaram que, na infância, se vestiam com as roupas da mãe ou da irmã mais velha. Também me contaram que, quando ainda não haviam iniciado a modelagem do corpo, era a vestimenta que corporificava qualidades femininas. *"Eu me vestia completamente indefinida, era uma coisa que ninguém sabia o que era!"*, contou-me Júlia a respeito de si mesma aos quinze anos, antes de fazer uso de hormônios.

A vestimenta constitui uma eficiente forma de comunicação. Determinada combinação de peças, com cortes, tecidos e cores específicos, transmite símbolos que informam aspectos essenciais daquela pessoa e situação, como o sexo, o gênero, a posição social, a classe, a idade, o tipo de evento em questão etc. As roupas constituem, portanto, uma linguagem.

É com isto em mente que as travestis se *montam*. O ato de vestir-se com roupas de mulher é comumente designado nesse universo pelo termo êmico *montação* ou *montagem*. A *montagem* é um processo de manipulação e construção de uma apresentação que seja suficientemente convincente, sob o ponto de vista das travestis, de sua qualidade feminina. Consiste num importante processo na construção da travesti, por ser uma das primeiras estratégias acionadas para dar visibilidade ao desejo de transformação e também porque constitui um ritual diário, no qual se gastam horas decidindo e provando o modelo da noite.

---

[13] Essa questão também é discutida por Denise Jardim (1995) para a construção da masculinidade entre homens de grupos populares de Porto Alegre.

O guarda-roupa de uma travesti está composto por, no mínimo, três classes de vestimentas, a saber: roupas de *boy*, roupas de *batalha* e roupas de festa. As primeiras são normalmente peças de corte amplo e cores neutras que são usadas em diferentes situações em que o corpo travesti precisa ser "disfarçado". Durante o dia, quando estão em casa, ou precisam sair até a vizinhança ou mesmo ir ao centro da cidade para tratar de assuntos cotidianos, este será o visual adotado pelas travestis.

A *montagem* para o trabalho na prostituição é outra: à noite, as travestis trabalham vestidas de diferentes modos e combinações, sempre procurando ressaltar as formas curvas do corpo e insinuar genitais femininos. A combinação mais comum é o uso de minissaia, blusa decotada e, necessariamente, sapatos com saltos altos. São valorizadas também roupas que tenham cortes rentes e justos, como calças fusô, vestidos curtos e decotados, triquínis (uma peça mista entre maiô e biquíni que faz muito sucesso entre as travestis), meias de náilon ou roupas com *lycra*.

No inverno, as noites são muito frias, e isto cria um problema para o desempenho na rua, à espera dos clientes: como exibir as formas do corpo? Normalmente, inclusive nas noites de inverno, as travestis não trabalham com muita roupa. Permanecem com os seios, as pernas ou os quadris expostos nas avenidas, mesmo com a insistência do vento e do frio. Algumas usam longos casacos de pele (natural e sintética), e, à medida que os carros desfilam à sua frente, abrem o casaco e exibem a fina *lingerie* que vestem por baixo.

As roupas íntimas são um aspecto importantíssimo na vida de uma travesti. Na prostituição, elas usam sempre calcinhas femininas minúsculas, que deixam as nádegas à mostra e sutiãs *bandeja* (ou *meia-taça*), que têm uma armação de metal para apoio do seio, conferindo uma forma mais empinada ao busto. As cores das roupas íntimas também são sempre associadas com a sedução; normalmente o vermelho, o branco e o preto. A roupa íntima é usada de modo a ser exibida, ou sob a saia (normalmente muito pequena), ligeiramente levantada de um dos lados, ou sob a blusa transparente; há casos de travestis que se prostituem vestindo apenas calcinha e sutiã.

O uso cotidiano de calcinhas femininas é obrigatório por qualquer uma que se empenhe no processo de transformação do gênero. É concebido como um sinal diacrítico na construção de uma prática feminina. Como contraponto disso, temos a frase *"Vai vestir uma cueca, putão!"*, que não raro é ouvida nas *quadras* de prostituição, exclamada por algum transeunte ou mesmo por uma travesti com relação a outra em situações de desavença. Frases como esta constituem ofensas morais gravíssimas, pois atestam ou denunciam o que seria um desempenho de gênero não satisfatório.

Os vestidos de festa ou de desfile podem ser instrumentos de *status*. Com certa regularidade, promovem-se concursos de beleza para travestis, e os vestidos usados para essas ocasiões são peças muito valorizadas e ostentadas com orgulho. As peças preferidas para esses eventos são vestidos longos, em tecidos finos e caros, como seda, paetê, lamê, cetim, e normalmente confeccionados sob encomenda por alguma costureira, que pode ser inclusive uma travesti. O vestido ou o *traje* constitui um dos quesitos avaliados pelos jurados nesses certames e pode ser decisivo para o título, o que também explica o esmero dedicado a essa peça. Várias das minhas informantes já participaram desses concursos e produziram para a ocasião vestidos ricamente ornados e decorados com toda sorte de acessórios.

Os vestidos têm que ser compridos, até os pés, com decotes avantajados e uma quantidade de detalhes, como caudas, bordados, drapeados, miçangas, lantejoulas, laços etc. Não se economizam nesses detalhes; às vezes, gastam-se poupanças de meses com a confecção de uma única peça, que provavelmente só será usada uma vez, já que repetir roupa em desfile é um fato altamente desprestigiado pelas travestis. Nos termos de Goffman (1993), constituiria um falso desempenho.

As cores prediletas para tais situações são as neutras ou discretas, como o preto, o azul-escuro e o salmão, mas podem-se ver também peças em vermelho-carmim, amarelo e fúcsia. No entanto, o mais importante são os detalhes, os bordados, os drapeados, as rendas e o desenho, que transformam o vestido em uma peça especial, única, que reflete o próprio *"estilo"* da travesti que o veste.

Os casacos de pele situam-se na mesma classe das *roupas de festa*. Normalmente chamados simplesmente de *pele*, esses casacos são itens muito valorizados pelas *monas*, pois, além de serem caríssimos, denotando que a travesti que o possui tem poder, pelo menos econômico, são considerados muito chiques. Como me disse Lisete: *"(...) é só um vestidinho preto e aquela pele e tu fica chiquérrima. A pele já faz toda a montagem."*

Os vestidos de festa ou de desfile, bem como as *peles*, podem ser exibidos perante as outras travestis como um instrumento de prestígio, como um sinal diferenciador que confere à dona mais respeito e poder no universo travesti. Possuir uma coleção de *peles* ou vestidos finos está diretamente relacionado com a situação econômica daquela pessoa e, portanto, com o poder que desfruta nesse universo. Por isso, essas peças funcionam também como moedas de troca: não raro, os vestidos de desfile ou os casacos de pele servem como mercadoria no pequeno mercado informal que existe entre as *monas*.

Além das *peles*, outros acessórios — bijuterias, apliques, lentes de contato coloridas, jóias, óculos, bolsas, perfumes, lingeries — são itens muito desejados pelas travestis. Elas conhecem bem as diferentes marcas e os modelos mais atuais e valorizados no mercado. Algumas travestis esmeram-se em comprar as marcas mais caras (normalmente vistas como as de maior qualidade), chegando a adquiri-las no exterior.

Freqüentemente, muitos desses itens fazem parte do sistema de trocas: funciona entre as *bichas* um pequeno e esporádico comércio em que acessórios e roupas são trocados, comprados e vendidos, passando por várias donas. Despertou-me curiosidade a insistência com que algumas travestis barganhavam peças ou itens de outra. Acredito que a estratégia de comprar/trocar/vender é acionada pelas travestis, em geral, devido à dificuldade encontrada para comprar peças de vestuário no comércio normal. Os tamanhos pouco apropriados, a não-aceitação para crediários, a discriminação enfrentada em qualquer situação pública são fatores que impulsionam esse comércio informal. Atualmente, é mais fácil encontrar comerciantes especializados em produzir e vender roupas para travestis. Essas roupas são fabricadas em pequenas confecções caseiras e depois vendidas pelos próprios produtores nos locais de prostituição durante a noite. Em várias ocasiões, colaborei com alguma travesti na decisão da cor de um triquíni ou de uma blusinha na *quadra* de prostituição. O comércio e o mercado de trocas são mostras da inventividade e criatividade das travestis em criar novas práticas sociais com o objetivo de contornar os constrangimentos a que estão sujeitas.

Entre os itens mais presentes nos círculos de escambo e comércio estão os calçados. Os sapatos são um produto valorizadíssimo pelas *monas*, que normalmente andam de salto alto. Como a maior parte vive da prostituição e fica andando durante seis a dez horas por noite em calçadas e ruas esburacadas, o salto acaba estragando. Isso é resolvido revestindo-o com balas de revólver ou fuzil usadas, a fim de protegê-lo. Os *saltos italianos* — sapatos com saltos altíssimos (normalmente entre 18 e 20 cm) e muito finos, produzidos em metal super-resistente — são produto de luxo, e quem os tem não os dispensa facilmente.

Os modelos de sapato com saltos altos são normalmente produzidos para pés pequenos, o que não é o caso das travestis. Encontrar sapatos bonitos e que caibam nos pés é outra dificuldade cotidiana; daí o sucesso desses produtos no mercado informal da noite. Quando produzidos sob medida, o que acontece com freqüência, sapatos de salto alto custam muito caro, normalmente o dobro do preço praticado em qualquer loja do comércio local. Em Porto Alegre, há um sapateiro recomendado pelas informantes. É o sapateiro que as atende sem discriminação, a não ser aquela presente no preço dos calçados, que custam mais caro do que os vendidos no comércio local. Seja qual for o modelo de calçado utilizado, o salto alto é outro signo por excelência da dimensão feminina.

Mas, para uma boa *montagem*, não basta usar tal vestido ou tal sapato: o importante é *ter estilo*. Não se pode combinar, como me disse Lisete: *"um vestido de malha branco com uma bota preta e uma bolsa marrom. Que palhaçada: ela tava ridícula!"* (comentando sobre a roupa de outra travesti). As travestis que incorrem nesses erros de *estilo* são muitas vezes identificadas como *caricatas* pelas outras personagens do universo *trans*, em referência à imagem burlesca apresentada pelos tradicionais "blocos de sujos" do carnaval brasileiro. Denota, ademais, que tal pessoa não tem familiaridade com os padrões do gosto presentes nesse contexto social, nem tampouco uma configuração de gênero formada ou "verdadeira". Trata-se, na opinião das informantes, de um "homem disfarçado de mulher".

O *estilo,* para as travestis, é uma personagem que vai sendo construída a cada esforço implementado no processo de transformação do gênero. As travestis precisam aprender toda uma série de investimentos, que vão além do guarda-roupa. O *estilo* vai também conformar os gestos, a impostação da voz, a forma do cabelo, a maquiagem, o balanço no andar e até mesmo a própria maneira como a *bicha* vai se relacionar com as outras travestis e com a sociedade. É preciso que essa personagem apresente coerência entre o vestir, o gesticular, o falar, o pensar, o andar etc. Enfim, o *estilo* é quase uma personalidade, é um conjunto de preferências e maneiras que, a princípio, é a estampa daquela pessoa. É o modo como ela quer ser representada (ou representar?) para os outros atores sociais com quem convive e para toda a sociedade.

Não é à toa que as travestis têm tamanha dedicação à questão das roupas e da sua apresentação nos diferentes espaços sociais em que circulam. As vestimentas são um eficiente meio de comunicação, vestindo também a pessoa de diferentes atributos sociais. Leroi-Gourham (s/d: 162) sublinhou a importância do vestuário e do adorno como formas eficientes de comunicação e de reconhecimento social. É por meio das roupas e dos acessórios que se pode identificar o sexo, a idade, a posição social de uma pessoa. Estes são, de fato, símbolos importantes da cultura de um grupo, uma vez que servem para localizar e diferenciar, no universo amplo da cidade, as pessoas que dele fazem parte. Poderíamos também afirmar que as roupas dizem muito a respeito da posição social, uma vez que o gosto, que define os formatos, as cores, os adornos, é marca fundamental na diferenciação das classes (Bourdieu, 1983). No processo de transformação do gênero vivenciado pelas travestis, as vestimentas e os adornos são peças importantes, pois têm a função de comunicar ao grupo e às pessoas em geral características e atributos da pessoa que os porta.

## CÁPSULAS DE BELEZA:
### O USO DE HORMÔNIOS E A FABRICAÇÃO DO FEMININO DAS TRAVESTIS

O corpo roliço representa as formas femininas. As formas e linhas quadradas, retas e angulosas do corpo de homem precisam ser modeladas para adquirir uma aparência redonda e roliça. É aqui que entra o uso dos "químicos" (Lopes, 1995: 229), os dois produtos utilizados para modelar o corpo: o hormônio e o silicone.

As travestis, em geral desde a puberdade, passam a produzir, a partir de um corpo com aparato genital masculino, um novo corpo com apresentação feminina, ou, como me disse Márcia, comentando sobre as formas do corpo de sua companheira Gabrielle, *um corpo de travesti*. É quase como um segundo nascimento, conforme a metáfora empregada por Silva e Florentino (1996), um segundo nascimento com um novo corpo, com um corpo feminino, que tem, por sua vez, qualidades e atributos diferentes do corpo da mulher.

As travestis fazem uso de uma série de técnicas, produtos e investimentos para a produção desse corpo e da condição feminina. Embora seja possível estabelecer e visualizar regularidades nesse processo de transformação, cada travesti o vivencia de uma forma singular, com tempos e "fases" específicas.

Uma das primeiras resoluções importantes na vida de uma travesti é iniciar o uso de hormônios. Se até então as interferências com o objetivo de construção do feminino sobre o corpo se reduziam a eventuais *montagens* ou pequenos detalhes, como um brilho nas unhas ou uma modelagem nas sobrancelhas, com o tratamento hormonal as mudanças corporais se mostram mais visíveis e mais definitivas: os seios se desenvolvem, a silhueta se arredonda, os pêlos do corpo e da barba diminuem em quantidade e tamanho. Submeter-se a tratamento hormonal parece identificar-se com a própria decisão de incorporar a identidade travesti.

*Modo de usar e posologia* — Os hormônios femininos são normalmente o primeiro (e para algumas o único) produto a ser acionado para esse objetivo. Boa parte das travestis inicia a ingestão ou aplicação de pesadas doses de medicamentos contendo progesterona e estrogênio na adolescência, em geral por volta dos 14 ou 15 anos. Essas substâncias começam a agir sobre o organismo, desenvolvendo os seios, arredondando os quadris e os membros inferiores e superiores, afinando a cintura (e a voz, segundo algumas[29]) e diminuindo a produção de pêlos, especialmente os da barba, do peito e das pernas.

Os medicamentos para tratamentos hormonais (normalmente indicados como métodos contraceptivos ou para reposição hormonal na menopausa feminina) são utilizados pelas travestis brasileiras há aproximadamente trinta anos. Cleusa, 50 anos, me conta que já tomava hormônios no início dos anos 70 e conseguia alterar as formas e desenhos de seu corpo.

Atualmente existe no mercado uma infinidade de marcas de medicamentos à base de hormônios, comercializados na forma de comprimidos, ampolas injetáveis e, mais recentemente, de placas adesivas que, aplicadas nas costas, fazem com que o hormônio seja absorvido lentamente pela pele.[30] As travestis utilizam praticamente todos os medicamentos à base de hormônios e conhecem bem os nomes comerciais, os preços e os principais efeitos que eles produzem em seus corpos. Normalmente, porém, adotam um tratamento baseado em apenas dois medicamentos, que são aplicados de forma alternada.

O tratamento pode seguir diferentes prescrições, depende dos conselhos que as travestis recebem de amigas mais experientes e da observação dos efeitos, desejados e indesejados, no corpo — e na pessoa, como veremos adiante. Assim, algumas travestis consomem duas doses do medicamento A para uma do medicamento B; ou-

---

[29] Conforme informações de um médico, os hormônios não têm ação sobre a conformação das cordas vocais.

[30] Somente uma travesti declarou ter utilizado esse tratamento, mas não no Brasil, e sim há três anos, quando residia na Itália.

tras tomam uma semana a pílula A e na seguinte a B; outras tomam ambas todos os dias etc.

Não há uma prescrição padrão para o uso desses medicamentos. Uma recomendação comum entre as travestis indica o consumo de dois a três comprimidos por dia ou a aplicação de duas injeções por semana, para quem está começando e quer desenvolver suas formas femininas, e metade dessas doses para o tratamento de *manutenção*. Mas uma parte das travestis duplica ou mesmo triplica as doses com a esperança de que as mudanças se façam notar mais velozmente. Algumas, quando iniciam a ingestão, chegam a tomar uma injeção ou uma caixa de comprimidos por dia, com o objetivo de que o corpo se transforme rapidamente.

Algumas travestis aconselham seguir o tratamento em jejum, tanto para as cápsulas quanto para os injetáveis, pois acreditam que assim, sem a interferência de outras substâncias, o hormônio atue com mais eficiência na tarefa modificadora. Algumas adotam a prática de alternar a ingestão de hormônios por três meses com um período de abstinência de um mês, para *descansar* o corpo, antes de voltar ao tratamento.

Boa parte das informantes pratica essas interrupções no tratamento porque crê que o uso de hormônios pode *viciar*. Mas o *viciar* não é percebido de uma forma negativa; é, ao contrário, encarado como algo positivo, uma vez que se trata de uma maneira de atestar aqueles atributos femininos que estão sendo construídos e afirmados. Assim, as travestis afirmam estar *viciadas* no uso de hormônios com um certo orgulho. As interrupções no tratamento são encaradas como uma maneira de compensar os efeitos colaterais dos medicamentos. Esses efeitos, por sua vez, também testemunham a fabricação do feminino nas travestis, uma vez que se manifestam por meio de comportamentos e práticas identificados nesse grupo com valores do feminino.

O consumo de ampolas injetáveis geralmente requer o auxílio de outra pessoa, que pode ser uma travesti ou mesmo a enfermeira da farmácia. Gabrielle e Silvana me confidenciaram que freqüentam semanalmente a mesma farmácia, onde adquirem e aplicam suas doses de hormônios. Poucas vezes obtive relatos de auto-aplicação de injeções de hormônios. Esses hormônios são normalmente injetados nas nádegas e às vezes no braço. Aquelas que têm silicone no corpo devem ter cuidados redobrados para o uso de hormônios injetáveis, pois não se pode colocar a agulha na região siliconizada, sob pena de arruinar a forma construída ou provocar uma infecção. O peito não é aconselhável, por ser uma região com muitas veias, portanto com maiores riscos de complicação. Diana foi a única informante que relatou injetar o medicamento diretamente no peito, porque acredita que assim o seio se desenvolve mais rápido e com mais vigor.

Adquirir hormônios também pode se revelar uma aventura. Muitas travestis relataram que, quando menores de idade, negaram-lhes o direito de adquirir hormônios. O motivo da negativa pode ser discriminação ou mal-atendimento por parte dos funcionários de farmácias. Clarissa me contou que compra seus medicamentos sempre na mesma farmácia, indicada por uma amiga travesti, porque ali sente-se à vontade e bem atendida. Margarete, uma das informantes, goza de uma situação especial: procurou um serviço público de saúde e solicitou à médica que a atendeu — uma antiga conhecida sua — a indicação do melhor hormônio a ser usado. Além do conselho técnico especializado, também garantiu que a médica comprovasse que ela sofre de uma *disfunção sexual* (termo êmico), garantindo assim o fornecimento mensal do medicamento pelo serviço público de saúde. Ela toma Androcur, um dos mais caros dentre os medicamentos à base de hormônios existentes no mercado.

*Indicações* — Os principais efeitos dos hormônios no organismo, segundo as travestis, são as modificações das formas corporais, como o desenvolvimento dos seios, arredondamento e suavização dos joelhos, pernas, quadril e braços; redistribuição uniforme da gordura por todo o corpo; diminuição da produção de pêlos pelo corpo: os pêlos do peito e dos membros ficam com a textura mais fina e crescem em quantidades infinitamente menores, chegando mesmo a sumir em algumas pessoas, como nos casos de Silvana e Sandra, que não têm mais pêlos no peito. Os pêlos da barba são mais resistentes e, ainda que sua produção e textura diminuam, requerem cuidados especiais.[16] As travestis relatam também uma diminuição no tamanho do pênis e dos testículos (algumas afirmam que estes diminuem tanto que não podem sequer serem percebidos pelo tato), bem como a produção de esperma, que se torna "mais aguado", menos consistente e em menor quantidade.

Além dos efeitos fisiológicos, as informantes acreditam que os hormônios também exercem influência nos modos de ser, de andar, de falar, de pensar, de sentir. O hormônio é concebido como o veículo do feminino, como se o medicamento suprisse o corpo de algo que lhe estava faltando, como se estivesse corrigindo "um erro da natureza".

Gabrielle afirma:

*Eu acho que o hormônio na vida de uma travesti é a feminilidade toda, tudo tá ligado ao hormônio. Inclusive, tem amigas minhas que, quando vão à farmácia comprar hormônios, elas costumam colocar assim, ó: 'eu vou comprar beleza'; porque o hormônio é realmente a beleza na vida de uma travesti. Ele ajuda na pele, que fica mais macia (...), inibiu o crescimento de pêlos, desenvolveu a glândula mamária, entendeu, arredondou formas, e até a expressão do olhar de quem tomou hormônio é diferente (...). A gente fica mais feminina pra falar, pra sentar, e tudo isso é efeito do hormônio no teu organismo.*

Para que o tratamento com hormônios tenha efeitos ideais, isto é, para que seja instaurada essa condição feminina de forma plena, aconselha-se às travestis iniciá-lo na época da puberdade. Acredita-se que assim os efeitos sejam praticamente irreversíveis, pois o corpo que começa a receber doses maciças de hormônios femininos ainda é um corpo indefinido, corpo de menino que não adquiriu os contornos duros e angulosos do corpo de homem. É como se

---

[16] Sobre os cuidados específicos com o *chuchu* (a barba), veja a seção acima "Pêlos e Cabelos", e ainda Benedetti (1996), Lopes (1995) e Silva (1993).

esse tratamento barrasse a ação dos hormônios masculinos produzidos pelo organismo. Segundo Sandra:

*É, é bom começar a tomar cedo porque daí os hormônios ficam mais fortes no teu corpo e também porque é mais fácil para ele, porque tudo é ainda lisinho assim, não tem barba (...) Porque o teu corpo não tem ainda muita testosterona. É como assim (...) ele anula alguns efeitos da testosterona.*

A representação da ação dos hormônios no organismo varia muito entre as travestis. Algumas apresentam justificativas com forte apropriação das explicações e do discurso médicos. Gabrielle, por exemplo, me contou numa entrevista que fez um exame de contagem hormonal para medir as quantidades de hormônios femininos e masculinos presentes no seu corpo e poder, a partir de aconselhamento médico — que, bem entendido, não é definitivo para o tratamento hormonal —, otimizar as quantidades e os efeitos dos hormônios femininos no seu organismo. Outras dizem não saber exatamente o "caminho" que o hormônio percorre no organismo, mas afirmam saber que ele "entra" no sangue e então toma conta de todo o corpo. É corrente a idéia de que esses medicamentos instauram uma nova condição no corpo: a condição de travesti.

*Contra-indicações* — Além dos efeitos físicos e comportamentais já citados, as travestis observam que o tratamento hormonal traz uma série de conseqüências, que, ainda que percebidas como indesejadas, contribuem e atestam a construção dessa condição feminina.

Os principais efeitos colaterais dos *tratamentos hormonais* relatados pelas informantes parecem ser: inchaço das pernas e pés (especialmente no verão); retenção de água pelo organismo; diminuição do apetite sexual e da possibilidade de ereção; aumento do apetite; propensão a varizes; preguiça; apatia; pouca disposição física. Os hormônios também fazem com que as pessoas fiquem, segundo as travestis, mais *irritadas, atacadas, enjoadas*, além de *afinar o sangue*.

A impossibilidade de ereção resulta num problema prático, uma vez que, na prostituição, o pênis é parte do instrumento de trabalho das travestis e elas necessitam das ereções para satisfazer os clientes e ganhar dinheiro. A objetividade dessa situação faz com que muitas travestis dosem o consumo de hormônios de forma a regular esse efeito colateral, para não prejudicar suas performances no trabalho. Outras abandonam o tratamento hormonal para garantir mais possibilidades de trabalho no concorrido mercado da noite.

Para regular os efeitos colaterais, algumas travestis adotam um tratamento à base de vitamina E. Outras, embora também relatem efeitos indesejados, não fazem nada para combatê-los. E há ainda aquelas que, com o intuito de melhorar sua disposição física, tomam antibióticos regularmente.

*Afinar o sangue* parece indicar um processo de debilitação geral do organismo, um enfraquecimento do sistema de defesa que coloca a pessoa numa situação mais vulnerável ao aparecimento de doenças. O sangue é neste caso representado como um elemento de força (física e moral) do corpo, o que corrobora as observações apontadas por Duarte (1986) para as classes populares. Esse suposto enfraquecimento também é combatido pelas travestis com a ingestão regular de antibióticos, sobretudo o Benzetacil,[17] do qual algumas dizem tomar uma dose a cada mês.

O nervosismo e a irritação não têm a mesma conotação atribuída ao sangue, que parece pertencer a um nível mais físico. Esses efeitos são relacionados a uma disposição para alterações morais, ou seja: afetam a pessoa para além do seu organismo, perturbando suas relações. Creio que essa disposição *sensível* pode ser um sinal diacrítico na construção do feminino nas travestis. Conforme já sublinhado por Duarte (1986), a irritação é uma característica atribuída ao feminino (a mulher teria uma qualidade mais nervosa), em oposição à força, atribuída ao masculino (em oposição à sensibilidade). Em seu estudo sobre a concepção dos nervos nas classes populares, Duarte aponta um esquema da construção diferencial dos gêneros. Para o autor, a mulher e o homem são caracterizados

---

[17] Nome comercial de um remédio à base de penicilina.

por uma série de aspectos em oposição, numa relação complementar e hierárquica. Assim, enquanto que à mulher se associam elementos de fraqueza, interioridade e moralidade, relacionam-se ao homem a exterioridade, o físico e a força. Uma característica da mulher seria então a propensão, socialmente legitimada, a ficar *atacada* ou *irritada*, enquanto que a perda do controle consciente no homem seria rara (Duarte, 1986: 180-1). O relato de Gabrielle citado acima é esclarecedor sobre a noção da ação dos hormônios, que confeririam características que vão além do físico e das formas, construindo uma "mulher" (física e moral).

O tratamento hormonal parece ser o veículo que integra e exterioriza as dimensões física e moral no universo das travestis. É com ele que se adquirem novas características nas formas do corpo, bem como novas particularidades de ordem moral — que dizem respeito ao comportamento feminino na sociedade. A transformação do gênero se constrói e se afirma a partir do ingresso nessa rede de conhecimentos, exigindo uma intensa socialização das novatas para que, lentamente, com os efeitos dos hormônios, surja um "todo" feminino. Neste sentido, poderíamos pensar nos hormônios como os elementos que estabelecem a mediação entre o físico e o moral, na medida em que agem sobre o corpo (percebido como uma realidade físico-moral) e produzem efeitos tanto de ordem física quanto moral.

O hormônio goza de um *status* privilegiado: seu consumo parece ser o elemento simbólico que determina o ingresso nessa identidade social em fabricação, nessa moldura social possível. As travestis somente reconhecem outras travestis nas pessoas que fazem ou fizeram uso dessas substâncias. Tanto Hélio Silva (1993:133) quanto Suzana Lopes (1995:229) observaram também este fato: é travesti quem (no mínimo) toma hormônios. O hormônio (e conseqüentemente seus efeitos no corpo e nas relações) parece ser um instrumento ritual de passagem, porque é junto com os seios e as formas arredondadas do novo corpo que a travesti (re)nasce para o mundo, que esse processo de transformação se instaura e se evidencia.

## Beleza plástica: o silicone e a construção do corpo feminino das travestis

O silicone é outro produto utilizado na construção da travesti. O silicone é um caminho imperativo, pois não tem volta: uma vez aplicado, sua retirada é praticamente impossível.[18] O silicone é mais comumente usado por quem já tem uma história de uso de hormônios e quer aprimorar as formas. A decisão de aplicar silicone parece ser muito bem pensada e refletida. Há travestis que optam pelas aplicações assim que iniciam suas transformações corporais; outras, como algumas informantes, afirmam que "jamais" fariam uso desse produto.

Aplica-se o silicone em praticamente todas as partes do corpo: pernas, joelhos, coxas, quadris, nádegas, seios, face, boca, testa etc. O produto é muito valorizado porque tem efeito imediato, já que os resultados são visíveis logo ao final da operação. Como me disse Silvana, *"O silicone te dá formas que o hormônio não dá"*. É usualmente aplicado de forma caseira, normalmente por uma travesti mais velha (ouvi relatos de um médico em São Paulo que também faria esse serviço) com um nome muito famoso na praça, que é chamada de *bombadeira* — porque *bombar* é o ato de injetar silicone. A *bombadeira* atesta seu nome pelos corpos que desfilam na *quadra* e que foram por ela construídos.[19] Por isso, normalmente são pessoas muito respeitadas no universo travesti.

Em Porto Alegre, há somente uma *bombadeira* que mora na cidade. Há outras pessoas que já fizeram serviços esporádicos de aplicação de silicone, mas que não foram adiante com essas atividades porque as tentativas foram frustradas, resultando em serviços de péssima qualidade, segundo a opinião geral das minhas informantes. A *bombadeira* que mora na cidade é bastante respeitada, e seu serviço de *bomba-*

---

[18] Silva (1993: 91) observou uma travesti que retirou o silicone dos seios, "voltando" a ser "homem". Uma das minhas informantes pretende retirar o silicone que implantou há mais de dez anos nos pômulos, mas encontra dificuldade de levar adiante o projeto pela delicadeza e raridade da cirurgia. Outra informante, que deseja corrigir as imperfeições e deformações advindas de uma injeção de silicone que caminhou dos joelhos para os tornozelos, também não alcança diagnósticos precisos junto aos cirurgiões plásticos consultados.

[19] Vale reproduzir as palavras de Fernanda Albuquerque em seu livro *A princesa*: "Na calçada das grandes cidades, Severina, a bombadeira, expõe suas obras de arte. Corpos bombados, modulados, seringados com silicone" (Albuquerque & Jannelli, 1995: 80).

*ção* é sempre muito elogiado e admirado pelas travestis. Goza de boa fama, especialmente nas operações de modelagem de quadris e seios, mas faz aplicações em todas as partes do corpo. As declarações e descrições sobre os novos contornos que ela propicia com as aplicações são sempre enaltecedoras de seu talento para o serviço, reforçado pelo histórico de trabalho como auxiliar de enfermagem. Quarenta e oito informantes desta pesquisa já utilizaram seus serviços para moldar novas formas em diferentes partes do corpo, algumas inclusive durante o período da pesquisa de campo.

Além dessa *bombadeira*, há uma travesti que faz esses serviços e visita regularmente Porto Alegre para realizar aplicações e modelagens. Ela vem de outra capital brasileira, onde vive, e tem por aqui grande clientela. É famosa no circuito das travestis de Porto Alegre pela qualidade das novas formas que cria, especialmente nos novos traços do rosto, alcançados com aplicações nos lábios, nos pômulos, na região dos olhos, no queixo e na testa.

Algumas informantes preferem fazer as aplicações em outros locais do país, sendo que as melhores *bombadeiras*, famosas e reconhecidas em todo o Brasil, estariam no Rio de Janeiro e em São Paulo. Às vezes, há discussões empolgadas sobre a qualidade dos serviços das *bombadeiras*, e algumas travestis são fiéis, recorrendo sempre à mesma para fazer as aplicações e *retoques* que desejam.

Eu procurei acompanhar informantes nas sessões de aplicação de silicone. No entanto, a desconfiança por parte delas não permitiu minha presença nessas ocasiões. A desconfiança talvez tenha sido gerada pelo fato de que, pela Lei, as injeções de silicone podem ser concebidas como crime de mutilação. Acredito que a minha presença neste circuito sempre esteve identificada com o mundo oficial. Embora eu não tenha tido a oportunidade de observar nenhuma sessão de aplicação (a não ser num documentário sensacionalista, daqueles que são veiculados de madrugada por algumas emissoras de TV), ouvi vários relatos e demonstrações desse processo e, por isto, sinto-me autorizado a descrevê-lo.

Os produtos e as práticas empregados não têm qualquer controle técnico ou sanitário. É muito difícil adquirir o silicone líquido, pois nem todos podem comprá-lo e não está disponível no comércio. Normalmente, é a *bombadeira* que tem contatos com algum fornecedor desse produto. Ninguém, no entanto, sabe precisamente quem é o misterioso fornecedor.[20] Ouvi vários relatos de travestis que têm no corpo silicone produzido para uso industrial, e não cirúrgico, o que pode provocar problemas de saúde. Duas de minhas informantes têm o corpo modelado com *lujol*, um espécie de óleo mineral produzido para uso mecânico, utilizado nos anos 80.[21]

Na realidade, a produção e a comercialização de silicone para uso cirúrgico, usualmente produzido na forma de próteses — isto é, pequenas bolsas que contêm em seu interior o gel que, uma vez aplicado, produz novas formas —, são estritamente controladas e vigiadas pelos organismos estatais competentes. Os casos de rejeição registrados nesse tipo de tratamento não são raros, mesmo entre as travestis. Duas informantes da pesquisa que recorreram a esse recurso para modelar os seios tiveram históricos de rejeição, que lhes causou muita preocupação e danos à saúde. Uma delas chegou a necessitar de internação hospitalar para tratar uma infecção decorrente da rejeição da prótese. Quando acontece a rejeição do novo órgão, a retirada é a solução indicada e adotada pelos médicos.

O silicone que será aplicado deve ser *esterilizado* pela *bombadeira*, que o deixa repousar por três dias no congelador. Algumas agulhas e seringas utilizadas são fabricadas para uso veterinário: têm maior capacidade e as agulhas são mais grossas.

As sessões podem levar várias horas e requerem muita paciência e coragem, porque tudo é feito sem anestesia (esta é vista como uma

---

[20] Lopes (1995: 229) também observou este silêncio em torno das informações sobre silicone. Kulick (1998a: 75) ressalta que as travestis de Salvador acreditam que a venda de silicone é ilegal no país, crença que se repete entre as travestis de Porto Alegre.

[21] Não se sabe precisamente quando aconteceram as primeiras aplicações de silicone com o objetivo de fabricar novos perfis no corpo das travestis. Fernanda Albuquerque conta, em seu livro, que as primeiras aplicações de silicone aconteceram na cidade de Curitiba, por volta do ano de 1981. Teriam sido executadas por uma travesti que morava na França e que lá aprendeu a técnica. Essa travesti, chamada Daniela, teria bombado o corpo de travestis famosas no Brasil, como Roberta Close, Thelma Lipp e outras (Albuquerque & Janelli, 1995: 150)

prática perigosa, que deve ser realizada somente por médicos). Diana me contou que levou duzentas agulhadas para injetar meio litro de silicone em cada quadril; a aplicação durou quase seis horas. Normalmente, a *bombadeira* traça uma linha sobre a região do corpo a ser modelada e então coloca um número X de seringas sobre aquela linha. Uma vez instaladas as seringas, ela somente desenrosca a agulha, enche novamente o êmbolo com silicone, adapta-o à agulha e segue injetando o produto. A *bombadeira* vai aplicando o silicone pouco a pouco e modelando a forma desejada, às vezes com o auxílio de toalhas quentes, que colaboram na massagem que espalha o óleo pela região do corpo, produzindo então a curva tão sonhada. Quando perguntadas pelas travestis mais jovens sobre a dor que sentiram quando se submeteram à aplicação do silicone, as travestis já *bombadas* normalmente relativizam a dor, que afirmam ser a *dor da beleza* ou o preço que é preciso pagar para ser bonita e desejada pelos homens. A dor não costuma ser empecilho para a realização desse desejo, embora seja utilizada por algumas informantes como argumento para explicar por que jamais recorreriam a esse meio de transformação.

Depois de feito o serviço, a *bombadeira* recomenda tomar um medicamento antibiótico (Benzetacil e Decadron foram os mais citados) e ficar em repouso na cama por uma semana, para o silicone se firmar no corpo. Nada de salto alto, de esforço físico ou permanecer em pé. Se essas orientações não forem seguidas, há o risco de o silicone *caminhar*, produzindo corpos deformados. Normalmente, nesse tempo de repouso (que algumas travestis seguem somente durante dois ou três dias), as travestis vestem uma meia Kendall, uma meia-calça indicada para tratamento de varizes, que comprime a perna. Ao produzir pressão sobre a perna, essa meia impede qualquer deslocamento ou deformação do silicone recém-aplicado.

Além do silicone líquido, as travestis recorrem também ao uso de próteses de silicone, utilizadas somente para a modelagem dos seios. Algumas travestis, depois de um tempo, sofrem rejeição ao implante, o que no entanto não lhes desestimula. As próteses e a cirurgia custam muito caro, e em Porto Alegre todas recomendam o mesmo médico para essa intervenção[22] — talvez porque seja o único que as aceite como clientes. Os riscos de aplicação do silicone líquido no peito são maiores, conforme me explicou Júlia: além de ser uma região com muitas veias — o que dificulta o trabalho da *bombadeira* —, o silicone aplicado nessa região pode *caminhar* para o pulmão, o que significa morte. As que já fizeram os seios com silicone líquido me contaram que depois da aplicação é preciso usar um sutiã muito firme e com um pedaço de madeira entre os seios, para evitar a formação do *peito de pomba* (Kulick, 1998a: 71) ou do *peito de sapo* (quando o silicone se une, formando um único seio no meio do peito), além de aplicar toalhas quentes várias vezes ao dia para que os seios tomem uma forma naturalmente arredondada, sem que fiquem marcados. Durante o período de repouso, as travestis não podem dormir deitadas, sob pena de os novos seios ficarem deformados.

As travestis que têm silicone no corpo precisam tomar uma série de cuidados extras no dia-a-dia. Atos cotidianos podem se transformar em complicações para a saúde: ficar muito tempo sentada em cadeira dura provoca dor; dormir regularmente em colchão duro (do tipo ortopédico) é desaconselhável, porque pode alterar as formas originais seringadas pela *bombadeira* (Lopes, 1995). Ginástica e exercícios corporais, ainda que sejam desejados e considerados importantes para manter a forma, são descartados, pois podem provocar o deslocamento do silicone pelo corpo ou mesmo desconstruir alguma silhueta. Qualquer batida mais forte pode alterar a forma que o silicone produziu.

Deformidades provocadas por silicone que *caminhou* ou que *não fez casa no corpo* não são histórias raras. Várias travestis que têm seu corpo transformado há vários anos relatam casos em que o silicone se movimentou pelo corpo ou, o que é mais grave, em que

---

[22] O nome desse cirurgião plástico sempre é pronunciado com muito respeito pelas travestis. Além de ser a referência para o implante de próteses de silicone nos seios, é a ele que recorrem quando decidem modificar ou corrigir a forma do nariz, por exemplo. Entretanto, ele não aplica silicone para modelar o corpo. Gabriela e Diana me afirmaram que, quando consultado para isso, ele recomenda procurarem os serviços de uma "bombadeira" muito famosa aqui em Porto Alegre, mas que reside noutra cidade. Dizem inclusive que é tamanho o talento e a técnica dessa "bombadeira" que o mesmo cirurgião a contrata para aplicar silicone em pacientes mulheres na sua clínica.

o produto "apodreceu" no corpo, resultando em feridas infecciosas, pelas quais o silicone vai sendo purgado.

Os corpos moldados com silicone são muito admirados por todas as travestis. É um desejo de grande parte delas ostentar formas curvas e perfis suaves. A expressão *toda feita*, muito comum entre as informantes e que não por acaso intitula este livro, é um elogio de alto grau, pois designa uma travesti que se moldou com uma *bombadeira* competente, porque o resultado final ficou muito bom. Seu antônimo seria *toda plastificada,* indicando aplicações mal feitas ou que resultaram numa forma exagerada ou que compromete a harmonia do corpo. Ademais, a quantidade de silicone que cada uma tem no corpo é assunto central da conversa entre travestis. Há algumas que afirmam ter quinze litros de silicone líquido espalhado em diferentes partes do corpo, e muitas já decidiram a quantidade necessária para que seu corpo adquira as tão sonhadas curvas.

*Toda feita*, mais do que um elogio, é também uma forma de designar as pessoas que se esforçaram nos caminhos da transformação e não pouparam esforços para tanto. Além das aplicações de silicone, pressupõe alguma cirurgia plástica para remodelagem do nariz, da testa ou de outra parte do corpo, bem como o uso continuado de hormônios e outros recursos de aprimoramento dos traços femininos. *Toda feita* é a expressão que designa o resultado eficiente de todo o processo de transformação e fabricação do corpo, e portanto do gênero, entre as travestis.

O silicone é um produto que detém um valor simbólico alto entre as travestis. As opiniões e os juízos sobre o uso desse produto não são homogêneos, existindo mesmo controvérsias sobre as aplicações. Pode-se observar uma distinção acerca de sua valorização entre as travestis mais jovens e aquelas que vivenciaram as primeiras aplicações de silicone, quando tudo ainda era muito experimental. As primeiras são as principais clientes das *bombadeiras,* e a injeção está mais presente nos seus projetos. Já as "antigas" valorizam mais o uso de hormônios, criticam, por vezes, o "exagero" das quantidades de silicone no corpo das outras e ressaltam o perigo de tais práticas, normalmente relatando algum caso de adoecimento ou complicação em função de aplicações mal realizadas ou de produtos sem qualidade. Assim, não há consenso acerca dos métodos de emprego do silicone e muito menos das quantidades a serem empregadas. Há, no entanto, consenso quanto a ser o silicone um instrumento especial de construção do feminino no corpo travesti.

## A MÁGICA DAS CIRURGIAS PLÁSTICAS

Os outros recursos acionados para fabricar novas formas no corpo são as cirurgias plásticas corretivas e a cirurgia de mudança de sexo. A correção predileta empreendida pelas travestis é o perfil do nariz. *Fazer o nariz* é um sonho de boa parte de minhas informantes. Durante a pesquisa, Silvana visitou o cirurgião plástico citado para dar um novo desenho ao seu nariz, que agora apresenta uma forma mais fina e arrebitada. Muitas informantes já recorreram a esse recurso, e outras planejam fazê-lo.

Pode-se recorrer ao cirurgião também para corrigir cicatrizes, aumentar o lábio ou modificar a forma dos olhos. Entretanto, estas parecem mais possibilidades citadas do que realidades efetivas. Em algumas entrevistas, as travestis declararam a vontade de submeter-se a essas correções. Essas cirurgias não são, no entanto, práticas corriqueiras, pois envolvem altos custos financeiros, com os quais a maior parte das travestis não tem como arcar. Daí que a alternativa, mais rápida e barata, do silicone líquido seja a mais disseminada.

Já a cirurgia de mudança de sexo parece ser vislumbrada somente como possibilidade distante. Conheci apenas uma *operada*: Ana, que mora em Paris e estava visitando as amigas e a família em Porto Alegre. Essa cirurgia é uma decisão radical, pois significa entre outras coisas abdicar do orgasmo. As opiniões são divididas: a maior parte diz não ter esse desejo, mas há as que dizem que não hesitariam em seguir adiante com o projeto da operação de mudança de sexo. Esse tipo de cirurgia pode ser realizado no Brasil desde 1997, ainda que somente para fins de pesquisa e experiência. Desde que a resolução do Conselho Federal de Medicina autorizou essa intervenção (anteriormente, os médicos que a realizassem poderiam ser considerados criminosos perante a Lei, pois seriam identificados com o crime de mutilação), muitas travestis parecem ter mudado de opinião. Algumas, que declaravam desejar se submeter à cirurgia assim que fosse possível, agora negam essa possibilidade ou se desdizem, baseadas sobretudo em argumentos contrários ao processo necessário para a realização da cirurgia (que envolve, entre outras etapas, acompanhamento para diagnóstico psicológico por um período mínimo de dois anos). Outras, que antes nem sonhavam passar por esse procedimento, parecem mais abertas à possibilidade.

Hélio Silva observa no Rio de Janeiro uma dinâmica parecida: a decisão de *fazer a cirurgia* funcionaria como algo mais a atestar o feminino que vive naquele corpo, um recurso a mais para afirmar seu gênero, como maneira de expressar uma identidade íntegra, mas, se realmente houvesse possibilidade efetiva de realizá-la, a cirurgia não seria levada a cabo (Silva, 1996: 63).

## ACUENDAR A NECA

Uma outra técnica desenvolvida pelas travestis finaliza a aparência do corpo: *acuendar a neca*, que designa a arte de esconder o pênis sob a roupa, para que a região pubiana fique com a aparência semelhante à do genital da mulher. Normalmente força-se o pênis para trás, ocultando-o por entre as pernas, com o auxílio de uma calcinha justa. É realmente impressionante como essa técnica é desenvolvida: é surpreendente como Joana, por exemplo, veste uma tanga mínima sem que esta denuncie o órgão masculino. As travestis que se prostituem executam essa operação cotidianamente e dizem ter se acostumado com o pênis na nova posição. Ainda que não vivam as vinte e quatro horas do dia com a *neca acuendada*, saber executar essa operação é de fundamental importância. Há situações, como ir à praia, em que é preciso vestir roupas de banho, ou outras, quando a roupa precisa ser muito justa, nas quais é essencial esconder o membro e evidenciar uma genitália feminina. Há, por outro lado, uma feminilização do membro, que já não parece ser o mesmo de um homem (Silva, 1996: 63).

# VIVENDO NO FEMININO:
## AS DINÂMICAS E DOMÍNIOS DO GÊNERO ENTRE AS TRAVESTIS

As travestis buscam, em todo seu processo de transformação, aquilo que elas chamam de feminino. Um feminino que lhes é bem peculiar e que está orientado por valores e práticas os mais diversos, especialmente no que diz respeito ao corpo e seus usos — sendo as práticas e preferências sexuais os principais pontos levados em conta. Neste capítulo procurarei descrever alguns "domínios do gênero" na vida travesti. Esses "domínios" devem ser entendidos como partes de um todo muito maior, difícil de ser descrito somente com palavras. Apresentarei então algumas experiências e representações que dizem respeito diretamente àquilo que as travestis consideram masculino e feminino, bem como aos possíveis trânsitos e fronteiras entre esses domínios. Isto não significa, no entanto, que estejam retratados aqui todos os contextos, significados e práticas culturais das travestis relacionados com aquilo que nós, antropólogos, chamamos de gênero. Trata-se, antes, de algumas pistas e pontos de vista sobre a construção do gênero entre as travestis.

Com o objetivo de compreender melhor os processos de transformação do gênero vivenciados pelas travestis, julgo importante iniciar apresentando algumas das principais formulações das investigações e teorizações sobre o gênero na antropologia, em diferentes desdobramentos: as pesquisas sobre mulheres, as pesquisas sobre homens e as pesquisas sobre travestis. Em seguida, passo à descrição de alguns domínios do gênero no universo travesti.

## O GÊNERO DAS MULHERES

O objetivo desta seção é apresentar resumidamente algumas discussões sobre a formulação e o emprego do conceito de gênero na antropologia, sem a pretensão de esgotá-las ou superá-las. Procuro apenas indicar algumas idéias desenvolvidas nesse campo de produção científica e fazer uma breve (re)visão do estado atual do debate. Para tanto, concentrar-me-ei em questões e formulações mais gerais, sem me ater a longos pormenores sobre as sucessivas discussões acerca das capacidades heurísticas e/ou da validade epistemológica dos conceitos e noções elaborados nessa área, espalhados em uma produção vasta e diversa.[1]

As diferenças qualitativas entre o masculino e o feminino, "ser homem" e "ser mulher", há muito têm sido objeto de estudo da antropologia. Tornaram-se clássicos os estudos etnográficos das décadas de 30, 40 e 50 que versavam sobre as características sociais e culturais dos homens e das mulheres bem como sobre os processos de aprendizagem dessas características (por ex.: Mead, 1962, 1988; Bateson, 1958; Firth, 1998; Benedict, s/d; Evans-Pritchard, 1978; Malinowski, 1983). Primeiramente restritas a sociedades simples, as aproximações da antropologia com esse objeto de estudo se ampliaram a partir das décadas de 60 e 70, impulsionadas especialmente pelo movimento feminista.

Com a emergência de um movimento organizado que lutava pelos direitos das mulheres, um campo de interesses e objetivos começou a ser delineado em diferentes espaços acadêmicos, entre os quais a antropologia ocupou lugar de destaque. As várias reflexões

---

[1] Uma visão interessante do desenvolvimento do conceito de gênero pode ser encontrada em Heilborn & Sorj (1998) e em Rosaldo (1995).

e comparações realizadas pela antropologia em diferentes sociedades procuravam demonstrar o caráter cultural e social das concepções e práticas relacionadas ao masculino e feminino, em contraposição aos paradigmas biologizantes e naturalizantes.

O desenvolvimento do conceito de gênero, que concebe as diferenças entre os sexos como características culturalmente construídas, representou um rompimento com as lógicas e argumentos até então utilizados para analisar cientificamente essas realidades. Impulsionou também um grande número de estudos e a formação de um campo científico em torno da questão.[2] Surgida nos Estados Unidos, a partir de um grupo de pesquisadoras que também tinha como objetivo propor "soluções" para mudar a condição opressora da mulher na sociedade, a idéia de gênero, de certa forma, transformou também os paradigmas das ciências sociais.

Paralelamente ao desenvolvimento do conceito de gênero e, em especial, das pesquisas sobre mulheres, uma linha de investigação recebeu atenção especial entre os anos 60 e 70: as pesquisas sobre a honra masculina, em especial nas sociedades mediterrâneas.[3] Sem utilizar expressamente o conceito de gênero, esse campo de estudos, ao buscar uma abordagem ampla e "total", propiciou uma maior compreensão das características do masculino e do feminino nessas sociedades. Se a princípio os pesquisadores responsáveis por esses estudos estavam preocupados com as questões de ordenação política das sociedades, encontraram nas questões relativas ao masculino e sua "honra" a lógica determinante da ordem política. De fato, a temática das "transformações do gênero" não fez parte do escopo dessas pesquisas, que, no entanto, lançaram luzes sobre a questão da produção social e cultural do masculino, contribuindo para que o

---

[2] Os Women Studies, e mais tarde os Gender Studies, enquanto um campo de interesse científico, parecem ter se institucionalizado muito mais nos Estados Unidos do que no nosso país. Para uma discussão mais ampliada sobre a institucionalização do conceito de gênero na Academia, ver Heilborn & Sorj (1998).

[3] As pesquisas sobre a cultura mediterrânea formam um conjunto de estudos que impulsionou, na antropologia, as reflexões sobre os processos sociais de construção do masculino. Para maiores detalhes, veja a coletânea organizada por Peristiani (1971) e também a obra de Almeida (1995).

próprio conceito de gênero adquirisse uma característica relacional, extrapolando as pesquisas sobre o feminino e sobre as mulheres.

Como bem ressaltam Heilborn & Sorj (1998), o próprio conceito de gênero faz parte da tradição anglo-saxã do pensamento sobre o social. A linha de investigação francesa se pautou mais pelo conceito de "relações sociais de sexo", o que denota sua franca inspiração marxista (1998: 9). Já a linhagem anglo-saxã, especialmente a norte-americana, em estreita relação com os movimentos de luta pelos direitos das mulheres, investiu na construção do conceito de gênero, acreditando contribuir para uma visibilidade maior da situação "oprimida" da mulher na sociedade, com o intuito de transformá-la.

Essa diferença, a princípio conceitual, se traduz em posições epistemológicas distintas, subjacentes a cada teoria. Enquanto a linha estruturalista, representada, por exemplo, por Pierre Bourdieu e Françoise Héritier, pautou-se em pressupostos "macro", como as determinações econômicas ou das regras de parentesco, para as realidades agrupadas sob a rubrica do gênero, a tradição norte-americana, por sua vez, investiu nas características culturais que formam e constroem essas realidades, dando ênfase maior aos aspectos discursivos e etnográficos.

Essa diferença ainda se faz visível nos muitos embates que o debate descrito originou e continua a alimentar. Os teóricos franceses, como Bourdieu (1999), afirmam, por um lado, que as formulações norte-americanas têm reduzida capacidade explicativa, pois prendem-se ao desejo de transformação da condição social das mulheres, o que impede a visão "des-historicizada" do problema — tal formulação apenas reificaria a posição das mulheres, sem de fato alterá-la. Por outro lado, segundo as principais críticas à teoria estruturalista sobre o social, suas investigações e formulações são concebidas a partir de um viés universalista, o que emprestaria à própria noção de gênero um caráter determinístico, quase natural. A linha norte-americana aponta como principal falha teórica das pesquisas estruturalistas, incluindo as de Bourdieu, a grande importância dada à diferença biológica e anatômica para a construção simbólica dessas realidades. Assim, os franceses são vistos como essencialistas, enquanto os norte-americanos são considerados culturalistas. Esse debate, ademais, não se restringe às questões do gênero; diz respeito a posições epistemológicas distintas na compreensão do mundo social. A própria noção de cultura, com suas diferentes concepções, pode estar por trás das distintas formulações.

Embora haja divergências teóricas nesse campo, foram alcançados muitos avanços e desenvolvimentos. O estado atual do debate na área do gênero parece concentrar-se naquilo que se conhece como "pós-feminismo", que consiste em uma crítica aos pressupostos universalistas e deterministas preconizados pela teoria feminista clássica, como, por exemplo, a condição de opressão das mulheres, a distinção sexo/gênero e o patriarcalismo.

Judith Butler (1990) tem promovido indagações importantes no campo do gênero, procurando desconstruir a ordem de sexo/gênero, ou a visão do gênero como um atributo cultural depositado ou moldado sobre um receptáculo natural, que seria o corpo (ou o sexo). Por caminhos distintos e com inspirações filosóficas diferentes, Bourdieu também afirma que o gênero não está para a cultura assim como o sexo estaria para a natureza — esta é uma das principais formulações da teoria feminista clássica[4] — mas, antes, conformaria um princípio lógico que confere significado às diferentes práticas e representações sociais, inclusive ao corpo.

Embora se costume considerar que as teorias desses autores estão em oposição, meu objetivo aqui, mais do que apontar críticas e falhas nos trabalhos, é encontrar conjunções que me auxiliem a compreender melhor os processos de transformação do gênero entre as travestis. Assim, segundo Butler:

*Gênero não deve ser concebido apenas como a inscrição cultural de significado sobre um sexo pré-dado (o que é uma concepção jurídica); gênero deve designar também o próprio aparato de produção por meio do qual os sexos são estabelecidos. Como um resultado, o*

---

[4] Para maiores detalhes sobre a equação sexo/gênero = natureza/cultura, veja Ortner (1979).

*gênero não está para a cultura assim como o sexo está para a natureza; gênero é também o meio discursivo/cultural pelo qual uma* natureza sexuada *ou um* sexo natural *é produzido e estabelecido como uma realidade* pré-discursiva, *anterior à cultura, uma superfície politicamente neutra sobre a qual a cultura atua* (1990: 7, grifos no original, tradução livre do autor).[5]

Da mesma forma, Bourdieu sustenta que as "estruturas históricas da ordem masculina" (1999:13), usualmente concebidas como "naturais" ou imutáveis, são produtos e produtores da ordem social. São os *habitus* formadores e formados a partir dessa lógica que instituem a predominância de um dos gêneros, os quais são vistos sempre em complementaridade.

*O paradoxo está no fato de que são as diferenças visíveis entre o corpo feminino e o corpo masculino que, sendo percebidas e construídas segundo os esquemas práticos da visão androcêntrica, tornam-se o penhor mais perfeitamente indiscutível de significações e valores que estão de acordo com os princípios desta visão: não é o falo (ou a falta dele) que é o fundamento dessa visão de mundo, e sim é essa visão de mundo que, estando organizada segundo a divisão em gêneros relacionais, masculino e feminino, pode instituir o falo, constituído em símbolo da virilidade, de ponto de honra (nif) caracteristicamente masculino; e instituir a diferença entre os corpos biológicos em fundamentos objetivos da diferença entre os sexos, no sentido de gêneros construídos como duas essências sociais hierarquizadas.* (1999:32)

O gênero deve ser compreendido então como uma lógica social que institui significado a corpos, práticas, relações, crenças e valores. Ainda que seja variável e diverso culturalmente, parece fazer parte de um

---

[5] "Gender ought not to be conceived merely as the cultural inscription of meaning on a pregiven sex (a juridical conception); gender must also designate the very apparatus of production whereby the sexes themselves are established. As a result, gender is not to culture as sex is to nature; gender is also the discursive/cultural means by which *sexed nature* or a *natural sex* is produced and established as *prediscursive*, prior to culture, a politically neutral surface on which culture acts" (1990: 7, grifos no original).

princípio que confere sentido à realidade em que vivemos. Mais do que um fator cultural de diferenciação, deve ser entendido como as próprias condições de produção da lógica que institui as diferenças entre o masculino e o feminino. O gênero faz parte da própria cultura e não é somente instituído por ela, assim como o corpo não é instituído pela cultura, mas, antes, produz e dá sentido à cultura.

No universo cultural das travestis, as diferenças de gênero são percebidas e explicadas como tendo um caráter absolutamente natural, essencial, muitas vezes imutável. A predominância do masculino também é característica desse universo social e está em estreita relação com os *habitus* do masculino e do feminino, que se expressam tanto como um princípio de classificação como em disposições corporais, às quais Bourdieu (1995) chamou de *hexis* corporal.

## QUAL FEMININO?

Os estudos sobre as transformações do gênero tiveram diferentes objetivos, mas a questão do gênero, dos limites e significados do masculino e do feminino no grupo das travestis e transexuais sempre esteve presente, sendo tema de debate e reflexão. Ainda assim, os estudos sobre esse grupo só recentemente têm sido vistos como contribuições para as elaborações sobre o gênero. Esse objeto de estudo constitui um caso limite do gênero, já que promove um "descolamento" entre o corpo e as práticas e representações do gênero.

Há consenso entre os estudiosos de que, nesse processo, as travestis (ou as transexuais ou o nome que receberem em sua comunidade) constroem-se femininamente. Os trabalhos de Garfinkel (1967) e Kessler & McKenna (1978) são bons exemplos de como as transexuais se embrenham por novas práticas e estratégias de representação e atuação social. Esses estudos, no entanto, pouco contribuíram para avançar na elaboração do que significa o feminino (e o masculino) no grupo em pauta. Essa questão é tomada como dada ou dotada de um significado pronto, numa visão essencialista, e muitas vezes — como, por exemplo, no trabalho de Neusa de Oliveira (1994) —, as transexuais e as travestis são comparadas com as mulheres.

Meu objetivo aqui é demonstrar que as noções de feminino, feminilidade e efeminação empregadas e operacionalizadas em alguns trabalhos que tratam do tema não são unívocas e consensuais. Entendê-las assim impede o avanço das nossas compreensões acerca desse grupo, bem como o próprio avanço no desenvolvimento heurístico do conceito de gênero.

As travestis constroem seus corpos e suas vidas na direção de um feminino ou de algo que elas chamam de feminino. Em sua linguagem êmica, querem *ser mulher* ou *se sentir mulher*. *Se sentir mulher* é uma expressão que por si só já traz algumas pistas de como esse feminino é concebido, construído e vivenciado pelas travestis. De fato, a maior parte não se iguala às mulheres, nem tampouco deseja fazê-lo. O feminino travesti não é o feminino das mulheres. É um feminino que não abdica de características masculinas, porque se constitui em um constante fluir entre esses pólos, quase como se cada contexto ou situação propiciasse uma mistura específica dos ingredientes do gênero.

O gênero das travestis se pauta pelo feminino. Um feminino tipicamente travesti, sempre negociado, reconstruído, ressignificado, fluido. Um feminino que se quer evidente, mas também confuso e borrado, às vezes apenas esboçado. O feminino das travestis é um constante jogo de estímulos e respostas entre o contexto específico de determinada situação e os sentimentos e concepções da travesti a respeito dos domínios do gênero. É o feminino travesti.

Nas seções subseqüentes, com o intuito de compreender melhor as realidades de gênero vivenciadas pelas travestis, procurarei descrever alguns "domínios do gênero" nesse universo.

## OS MITOS DE ORIGEM

*O calor naquele dia de verão ensolarado era intenso. Além do sol causticante, o ambiente extremamente úmido dava a impressão de este ser o dia mais quente do ano. Logo que cheguei à casa de Adriana (27 anos), em uma cidade da região metropolitana de*

*Porto Alegre, chamei pelos presentes sob a vigilância atenta de um cão. "Pode entrar, ele é manso!", me respondeu a madrasta de Adriana que veio me receber e me acompanhou até onde Adriana estava. No pátio de trás da casa (onde moravam mais duas famílias compostas pelos irmãos de Adriana), sob a sombra de uma árvore, Adriana me recebeu com um sorriso e um "Oi" enfático. Levantou-se rapidamente e veio caminhando na minha direção. Em meia dúzia de passos ela mudou o longo cabelo cacheado de lado por duas vezes. Vestia apenas um bustiê e um calção minúsculo. Depois de beijos e abraços, levou-me até a sombra onde estava sentada. Ali, despreocupadamente, em meio a um sem-fim de retalhos de tecido, linhas, botões etc., costurava roupas para as suas bonecas. Enquanto me mostrava os dois últimos modelões que tinha acabado de fazer, o pai dela nos olhava com certo ar de dúvida ou de reprovação. Quando ele veio até onde estávamos para me cumprimentar, disse, entre gargalhadas: "A Adriana e essas manias de brincar de boneca. Desde criança não consegui consertar esse vício dela!"* (Diário de campo, 12/01/1997).

Tal observação me deixou de "orelha em pé" e, desde então, por meio das entrevistas e mesmo da observação cotidiana, tenho notado a importância atribuída aos "modos" ou "orientação" femininos na construção das travestis, comumente relatados desde a primeira infância.

Jogos e brincadeiras tipicamente identificados com as meninas como brincar de boneca, de médico, de roda; trejeitos e inclinações naquela perspectiva (das travestis) feminina; recusa a aventuras ou brincadeiras violentas; desejo de permanecer sempre alinhadas e limpas — não são histórias isoladas. Pelo contrário, constituem um núcleo comum nas narrativas das travestis sobre a infância e as primeiras memórias de sua "diferença".

Um dos aspectos mais interessantes encontrados em todas as narrativas da infância das travestis é a inversão da desinência de gênero gramatical. Se no tempo atual, em que reconstroem suas memórias, utilizam a desinência feminina para se referirem a si mesmas, quando estão relatando fatos e acontecimentos de sua infância, antes de terem iniciado as transformações corporais, empregam a flexão masculina. Assim, falam de si quando crianças no masculino, ainda que atualmente prefiram ser designadas com a desinência feminina. Essa duplicidade do gênero gramatical empregada pelas travestis parece desempenhar uma dupla tarefa: além de dar conta de um período da vida em que não tinham autonomia (e que lhes garante certa autonomia no presente, pelo fato de já terem vivenciado os domínios do masculino), também traz em si a própria história da transformação e suas implicações (inclusive o emprego (quase) definitivo do gênero gramatical feminino) quando da reconstrução de suas histórias.

As narrativas construídas pela maior parte das travestis para justificar e explicar os processos de transformação de gênero iniciam e situam-se necessariamente na infância. É nessa fase que elas começam a perceber que têm algo de "diferente" dos outros meninos e que isto é socialmente reprovável. Ângela, por exemplo, vive hoje tranqüilamente com sua família. Mas nem sempre foi assim: quando criança, seus pais "o" levaram ao médico em duas ocasiões, para tentar curá-"lo". Como essa estratégia não surtiu efeito, decidiram colocá-"lo" num colégio interno religioso, no qual os alunos, além de estudar, eram obrigados a trabalhar em serviços domésticos e agrícolas. Isto não modificou os desejos de Ângela de se transformar femininamente. Segundo ela, apenas os intensificou, devido à convivência com um grande número de meninos, o que fazia com que se sentisse desejada sexualmente.

De resto, as histórias de maus-tratos e tentativas de medicação ou tratamento dessa "diferença" por parte da família não são raras; ao contrário, parecem ser quase uma regra.

*Não entendo por que isso, porque criança é inocente, não tem culpa nem malícia de nada. Eu não fazia isso [brincar de boneca e vestir-se com as roupas da irmã mais velha] de propósito. Eu simplesmente tinha vontade e fazia. Mas meu pai não entendia e descia o laço* (Gabrielle).

Muitas vezes os maus-tratos não se relacionavam apenas aos trejeitos ou "modos" femininos apresentados durante a infância, mas também, ou prioritariamente, procuravam coibir o desejo e a prática sexual homoeróticos.[6] São bastante recorrentes as histórias de desejo sexual e de relações sexuais com homens na infância, seja com colegas e amigos da vizinhança, seja com garotos mais velhos por quem nutriam uma suposta afeição particular. O desejo e a disposição para a prática sexual homoerótica ainda na infância são argumentos essenciais, na perspectiva das travestis, para que elas possam se construir subjetivamente enquanto sujeitos femininos.

Desejar sexualmente um homem e proporcionar-lhe prazer desde a infância é quase um imperativo no processo de transformação do gênero (o que nos diz muito acerca das estreitas ligações entre gênero e sexualidade na cultura desse grupo) e um marco inicial no processo de percepção e auto-reconhecimento da "diferença" da qual são portadoras. Este parece ser um traço diferenciador entre a experiência das travestis brasileiras e a das *transsexuals* ou *transgendered* da América do Norte e Europa, conforme Kulick (1998a: 48). Para as americanas, o interesse erótico por homens não é um fator determinante na construção de sua identidade social, que está centrada em sua condição feminina, percebida como um atributo mental ou orgânico e desvinculada do desejo e da orientação sexual. Há transexuais que vivem e se concebem como heterossexuais. Já para as brasileiras, a questão de *ser viado* é onipresente em suas narrativas dos processos de transformação do gênero.

A percepção do desejo de transformação e do desejo sexual por homens ainda na infância, portanto, parece ser muito comum entre as travestis brasileiras. Oliveira (1994), Silva (1993) e Florentino (1998) já sublinharam a importância desse processo na construção social e sexual das travestis. Por outro lado, o aprendizado de que aquilo que elas sentem e desejam é socialmente reprovável e merece punição acontece simultaneamente ao aprendizado sobre

---

[6] Don Kulick salienta, em sua pesquisa em Salvador, que é a combinação desse desejo homossexual com o comportamento feminino que direciona e estimula as travestis para os seus primeiros encontros sexuais em que invariavelmente assumem o papel passivo (Kulick, 1998a: 52).

seu desejo e seus sentimentos. Como ensinou Clastres (1990), a lei social é apresentada e inscrita nos corpos dos sujeitos para que dela não se esqueçam. Curiosamente, as travestis utilizam-se desse mesmo princípio ao inscreverem nos seus corpos (quando das modificações e transformações, conforme demonstrado no capítulo precedente) a concepção social de gênero e sexualidade.

As travestis enfatizam e vivenciam a sua construção enquanto sujeitos femininos, a despeito de sua socialização e educação enquanto meninos e futuros homens, como um processo duro, muitas vezes solitário, de enfrentamento e sofrimento.

É importante destacar aqui que o desejo de transformação se localiza ainda na infância, o que o investe de uma característica "natural" e "interna" da pessoa (retornaremos a essa questão adiante). A origem de tal desejo e de tais práticas não é, portanto, localizada em algum atributo cultural ou social, como as relações entre mãe e filho, como quer a psicologia.

Há que se levar em conta também que o sentimento e o comportamento femininos são vistos a partir da mesma ótica que concebe o desenvolvimento de todas as pessoas, homens e mulheres, ou seja, o argumento de que esses processos são "naturais", e não artificiais ou deliberadamente construídos pelos sujeitos. As travestis acionam os mesmos critérios e explicações utilizados para dar significado a todas as possibilidades de gênero e sexualidade com o intuito de conferir um significado positivo ao seu caso particular. Nesse grupo, os atributos da sexualidade e do gênero são usualmente investidos de uma característica natural (portanto imutável, fixa) ou predeterminada (destino, natureza) para todas as pessoas, independentemente de seu sexo anátomo-fisiológico, e esse argumento também é válido para as travestis.

Contrariando a alegação de que o processo de transformação do gênero vivido pelas travestis tem um fundo moral (argumentos como pecado, "pouca-vergonha" etc.), o que significaria concordar com uma deliberação racional e de vontade própria para tal transformação (argumentos muitas vezes acionados pela ciência e, em conseqüência, pelo Estado e suas instituições, bem como pela Igreja), as *monas* sustentam que o seu processo de construção e transformação já estava marcado, traçado e decidido. O desejo de transformar-se é um sentimento puro e "ingênuo", que não traz em seu escopo "malícia" ou "maldade". É algo que sempre foi assim (desde que nasceram, ou melhor, *"desde que eu me conheço por gente"*, como me afirmou Célia) e que dificilmente pode ser mudado ou redirecionado. Identificando todo esse processo com uma qualidade natural, as travestis vão ao encontro da noção, mais aceitável para a nossa sociedade, de que os "desvios" têm uma causa orgânica ou natural, não sendo resultado de uma deliberação do sujeito. Acionam, assim, lógicas criativas de enfrentamento do estigma que cerca sua condição.

É também na infância que acontece o primeiro contato com outras travestis, pela televisão ou mesmo nas ruas das grandes cidades, onde essas personagens há tempos deixaram de ser obscuras ou pouco visíveis (Oliveira, 1997; Silva & Florentino, 1996; Pirani, 1997). A primeira visão e o primeiro contato com outra travesti são sempre relembrados com muito entusiasmo e emoção e são, necessariamente, marcados por um processo de auto-identificação. *"Quando eu vi ela com aquele peito maravilhoso, eu pensei 'É assim que eu vou ser!"*, disse Gabrielle em uma entrevista. A visibilidade social e a inserção cotidiana das travestis (ver Silva & Florentino, 1996; Oliveira, 1997) garantem um lugar de legitimidade para os desejos sexuais e de transformação vividos pelas novas *monas*. É uma das únicas referências positivas que elas têm em meio às repressões e proibições a que são submetidas.

Em certo sentido, poderíamos conceber a primeira relação sexual com um homem e as primeiras *montagens* como os fatores diferenciadores da fase infantil, inocente. As *moninhas*, ao recontar suas histórias, identificam nesses aspectos uma explicação para a coragem do enfrentamento e da auto-afirmação. Apesar das insistentes recriminações e proibições dessas práticas pela família, vizinhança e outras redes, elas não desistem. As travestis se apóiam na perspectiva "naturalista" sobre o gênero e sobre a sexualidade para explicar e justificar as práticas que contrariam aquilo que é socialmente esperado delas, pois se trata de uma perspectiva que evoca uma lógica interna, sobre a qual elas não teriam controle racional.

## O INGRESSO NA REDE DE TRAVESTIS: APRENDIZADO DO GESTUAL, DAS TRANSFORMAÇÕES CORPORAIS E DOS VALORES DOS GÊNEROS

Kulick (1998a) observou entre as travestis de Salvador, Bahia, que um dos primeiros passos na construção da identidade travesti passa pelo abandono da família. Esse padrão parece se repetir no Sul, pois, entre as minhas informantes, 89% (76 informantes de um total de 85) abandonaram o lar para encontrar espaço e *"seguir meu destino"*, como me disse Claudine. Algumas foram expulsas pelos pais, que não aceitavam suas idéias e comportamento, algumas fugiram temporariamente, outras saíram deliberadamente. Seja como for, deixar o lar parece ser um momento crucial em seu processo de construção. Quase todas fazem isso entre os 11 e os 14 anos, época em que têm início as alterações corporais em função da puberdade. Há, é claro, travestis que saíram da casa familiar com mais idade e que iniciaram seu processo de transformação corporal mais tardiamente, mas estas constituem a minoria entre as informantes deste trabalho.

Essas histórias costumam ser caracterizadas por muitas aventuras na rua, como dormir ao relento, mendigar, brigas, violência e embates com a polícia, bem como pela descoberta de novos espaços e práticas. Ainda que seja um momento de reconhecimento dos muitos perigos e riscos que cercam esse grupo, estar na rua traz uma liberdade não desfrutada antes, que permite às travestis entrar em contato e conviver com outras pessoas nas mesmas condições. É nesse instante que o aprendizado sobre o feminino começa a "tomar corpo", para utilizar uma metáfora bastante apropriada. Convivendo e observando outras travestis, nos locais de prostituição ou em outros espaços, como salão de cabeleireiro, bares, boates, praças, parques e pontos de reunião de travestis e homossexuais, as *bichas-boys* aprendem quais alterações corporais são mais valorizadas e como efetivá-las. Nessa convivência são aprendidos os segredos da *montagem*; as técnicas de maquiagem; as formas legítimas e ilegítimas de seduzir um homem e relacionar-se sexualmente; os segredos e *truques* da compra, venda e uso de drogas, como maconha, cocaína, anfetaminas, álcool; a linguagem do *bate-bate*, as habilidades e mistérios da prostituição. É também nesse processo que a travesti recebe um nome feminino que, a partir de então, vai afirmar sua qualidade maior.

Beatriz me contou que foi "batizada" aos 12 anos, depois de haver fugido de casa por não agüentar mais a violência e as exigências do pai autoritário. Encontrou outras travestis em uma praça do centro da cidade e, depois de *rodar* com elas por mais de dois dias, foi levada a um chafariz, onde foi mergulhada e, nesse ato simbólico, recebeu seu nome atual. Quem a "batizou" foi uma travesti mais velha, já falecida. Essa travesti tornou-se a *madrinha* de Beatriz, pois foi ela quem escolheu seu nome, além de protegê-la e tutelá-la em seu processo de construção. Em contrapartida, Beatriz tornou-se *filha* dessa travesti, passando a dever-lhe respeito e consideração.

Essa história é muito comum. Para ingressar no universo da prostituição, por exemplo, é quase fundamental que a nova travesti tenha uma *madrinha*. Assim, muitas travestis têm *filhas*. É comum escutar na *quadra* histórias sobre as gafes ou as "acertadas" da *filha* de fulana ou da *filha* de beltrana. Ter *filhas* não é uma prática generalizada: nem todas as travestis têm *filhas* ou pretendem tê-las. No entanto, aquelas que se incluem nesse círculo, tanto as *madrinhas* como as *filhas,* são vistas com respeito e admiração. Constituem entre si uma relação forte e duradoura. Mesmo depois de a *filha* já estar totalmente formada e construída, a relação não acaba: continuam os vínculos pautados pelo respeito, confiança, admiração e proteção que uma exerce em relação à outra. É como se atualizassem, por meio dessas práticas, uma característica socialmente feminina: a maternidade. As *madrinhas* e as *filhas,* em sua relação, ressignificam outra característica do gênero feminino: a reprodução social de novas travestis.

Uma vez inserida numa rede de relações e obrigações recíprocas, a nova travesti refina e aperfeiçoa os códigos que aprendeu. Entre as principais características a serem aprendidas e moldadas estão o gestual e o uso do corpo. Assim, aprender a andar de salto alto, mostrar movimentos leves e suaves com os braços e com o corpo todo, olhar de uma forma cândida e recatada, mover o cabelo e mesmo andar e sentar são movimentos aprendidos e aperfeiçoados a partir do modelo das outras travestis e da observação do feminino ao seu redor. Essa *hexis* corporal (Bourdieu, 1995) "toma corpo" a partir de um fluxo de aprovações e reprovações de sua apresentação e performance cotidianas, tanto por parte da *madrinha* e da rede de relações da qual a travesti faz parte como por parte de outras pessoas com quem convive cotidianamente e da sociedade em que está inserida.

Garfinkel (1967) apresentou muito bem os esforços empreendidos por Agnes, uma transexual americana que ele observou, para implementar gestuais e apresentação que fossem femininos. O autor denomina esse movimento de *passing*, ou aprovação social do comportamento, ou seja, as características masculinas do corpo e o comportamento já não são identificados ou visíveis para as pessoas com quem a transexual convive ou divide espaços, não havendo dúvidas sobre sua construção feminina. Kessler & MacKenna (1978), seguindo os primeiros ensinamentos de Garfinkel, também encontraram entre as travestis uma fonte importante para demonstrar como a etnometodologia poderia compreender melhor os esforços e investimentos acionados por esses atores sociais para implementar a identidade que constroem para si.

O *passing* é uma importante fonte de debate e preocupação cotidiana entre as travestis, especialmente as mais jovens e ainda iniciantes. Analisam em si e nas outras *monas* o gestual, o modo de falar e de se relacionar social e sexualmente como índices e signos de um processo de transformação mais ou menos eficaz. *Passar por mulher* é o objetivo de todas as travestis. Além de afirmar e demonstrar as características intrinsecamente femininas, *passar por mulher* tem como objetivo mostrarem-se desejáveis e atraentes para os homens. Por isso, talvez, todo o investimento em construir externamente os signos do feminino, no corpo e em sua decoração: para tornarem-se mais desejáveis aos olhos dos homens.

Esse é o caráter relacional do feminino construído pelas travestis: um feminino que existe em função do gênero do outro, seja mulher, homem ou travesti. É um feminino simultaneamente exterior e interior, um feminino que está presente nos corpos das travestis e nos usos e valores por elas atribuídos aos corpos. É um feminino que ganha sentido quando em relação com o gênero dos outros, especialmente dos homens, que faz as travestis se sentirem femininas.

Se em suas narrativas da primeira infância, as travestis afirmam e justificam seus desejos de transformação em função de uma característica natural, pré-dada, imutável, na atualidade, ao analisar em si mesmas e nas outras a atuação cotidiana na interação, isto é, o sucesso ou insucesso no seu comportamento público feminino, não se reportam mais a algo interno (natural) ou exterior ao sujeito para explicar e justificar tais práticas. Indicam que esse processo é conscientemente manipulado e testado, de forma a adequar-se às reações de aprovação ou desaprovação das outras pessoas. Assim, se tal travesti não sabe se vestir para cada ocasião, isto não é atribuído às suas características internas e inatas, mas, ao contrário, é visto como responsabilidade dela, que não se aplicou ou se esforçou o suficiente para atingir um grau de *passar por mulher* socialmente aprovável. Essa dinâmica entre o exterior e o interior é o principal tópico de aprendizado das travestis, constituindo seu próprio gênero: é o que as faz femininas.

Essas noções do gênero, enquanto uma combinação de algo essencial, intrínseco ao sujeito (o que nos reportaria a uma realidade mais relacional, holista, típica das classes populares no Brasil, conforme Duarte, 1986), com uma intenção consciente e racionalizada sobre os esforços e tentativas de transformar o próprio gênero, constituem traços diacríticos de como esse grupo percebe e representa as diferenças de gênero. Esses critérios são de fato utilizados pelas travestis para classificar-se ou situar-se num campo generificado, mas são, antes, o quadro de referência a partir do qual elas qualificam e se relacionam com o mundo, no qual feminino e masculino são estabelecidos a partir da dinâmica entre o que é intrínseco e o que é criativo, entre o que é natural e o que é artificial.

## CABEÇA E ESTRUTURA

Como venho afirmando, uma das instâncias importantes acionadas pelas travestis para a explicação do gênero e sua relevância na constituição dos sujeitos é aquilo que poderia ser chamado de "dimensão interna", concebida como uma realidade imutável e natural que, em sua perspectiva, é responsável por uma série de processos na constituição do sujeito enquanto ser social. Gostaria de explorar especificamente as dimensões "subjetivas" ou "internas" relativas a esse processo de produção e constituição de um outro gênero. Procurarei concentrar a atenção especialmente nas noções êmicas de *"estrutura"* e *"cabeça"*, que são apresentadas nos discursos das travestis como duas categorias conceituais fundamentais para explicar e justificar os processos internos de constituição de um outro gênero e de fundamentação de suas relações sociais.

### A ESTRUTURA DAS TRAVESTIS É ESTRUTURALISTA?

A primeira vez que percebi a importância da categoria *estrutura* foi durante uma conversa empolgada a respeito da cirurgia de mudança de sexo entre cinco travestis. Num dia de verão tórrido, no mês de março em Porto Alegre, visitei três informantes que residem no mesmo apartamento. Lá chegando, pude perceber que, além de Gabrielle, Sabrina e Karina (as três residentes), encontravam-se no local, em visita, duas amigas, Cleusa e Daiana.

Depois de abraços e beijos e das reclamações a respeito do calor, descobri que as cinco, vestidas com peças mínimas, encontravam-se numa discussão sobre o tema da cirurgia para mudança de sexo. A conversa parece ter sido motivada pela visita de Ana, uma transexual porto-alegrense que vivia na França e se encontrava em Porto Alegre para rever as amigas e mostrar a sua nova condição: agora ela possuía uma vagina.

Karina relatava apaixonadamente que vira, na casa de outra travesti, o corpo nu de Ana. Cleusa e Gabrielle brigavam pela palavra para poder expressar enfaticamente a absoluta impossibilidade de

se submeterem a tal cirurgia, enquanto Sabrina, com um olhar ma-
roto, prometia juntar dinheiro para, com a máxima urgência, *virar
mulher de verdade.*

Apesar da sedução de Sabrina e Karina pela possibilidade de adquirir uma vagina, a afirmação comum e mais enfática no ambiente era de que nem todo mundo pode passar por esse processo.
*"Tem que ter muita estrutura"*, disse Gabrielle, o que de certa forma
encerrava a discussão, como um argumento categórico.

Já havia me deparado em outras ocasiões com a categoria *estrutura*, que parece ser de uso freqüente nos discursos das travestis
para designar aquilo que podemos denominar dimensão interna,
subjetividade ou âmbito psicológico. Esse termo é especialmente
usado em referência à sanidade mental das pessoas. *Estrutura* poderia ser identificada como o elemento de sustentação e substancia-
ção da saúde mental de cada indivíduo; é uma dimensão irredutí-
vel ao coletivo e que situa por excelência as características mais
individuais, privadas e particulares de cada um.

Por outro lado, é indispensável uma boa *estrutura* para que se
possa viver em sociedade. Por exemplo, na vida de uma travesti há
inúmeros acontecimentos e processos que requerem *estrutura* para
ser vivenciados: a decisão de transformar o corpo pela ingestão de
hormônios e aplicação de silicone; *assumir* a homossexualidade para
a família; trabalhar na prostituição, freqüentar escolas e instituições
de ensino; fazer o teste anti-HIV; decidir submeter-se à cirurgia de
mudança de sexo; ou mesmo situações aparentemente cotidianas,
como tomar um ônibus lotado correndo o risco de *levar baile.*[7]

Numa noite de maio de 1997, eu estava reunido com três travestis em frente a uma entrada de garagem na avenida Polônia,
Zona Norte da cidade, tradicional ponto de prostituição. Apesar
do clima agradável, o "clima" entre o pessoal estava péssimo. Dois
dias antes, Suelen havia sido levada ao hospital devido a uma forte
crise respiratória. Lá, fora submetida ao teste para HIV. Descobrin-

---

[7] Expressão utilizada pelas travestis para se referir a situações em que são discriminadas ou apontadas
em meio a riscos e chacotas, especificamente em lugares de concentração de pessoas ou multidão.

do-se soropositiva, não titubeou e saltou do quarto andar do hospital, morrendo instantaneamente.

Em virtude do suicídio de Suelen, os ânimos e a conversa tinham um tom muito sério: todas discutiam e opinavam com ar grave e triste. A conclusão geral parecia indicar que Suelen não tinha *estrutura* para agüentar a notícia, o que a levara ao suicídio. Na roda de discussão, o assunto em pauta era o teste anti-HIV, e todas concordavam em ressaltar que era imperioso ter uma excelente *estrutura* para se submeter a tal prova.

*Ai mona, eu não quero nem saber de falar em teste. Fico toda assim ó. Porque comigo já estourou mais de uma camisinha. Eu acho que se fizesse e tava com a "tia" eu fazia igual a Suelen, eu ia querer morrer. Credo, eu não tenho estrutura para agüentar isso* (Rosa).

A *estrutura* não é, todavia, a única instância ou categoria a definir o mundo interno do sujeito. Ela se encontra em posição complementar com a noção de *cabeça*, que também define atributos e processos particulares a cada pessoa.

Na mesma situação em que se discutia a cirurgia para mudança de sexo, a noção de *cabeça* esteve recorrentemente presente nos discursos das travestis. Quando o assunto era a questão da feminilidade de Rogéria, a opinião corrente era que o fato de ela ter criado uma vagina não a fazia mais feminina do que outra travesti.

*A mulher tá na cabeça da gente. Não é só porque agora ela tem uma boceta que ela é mais mulher do que eu ou do que a Karina ou do que a Daiana. Quando eu vi ela eu achei ela bem bonita e chique, mas ela não é mulher. Ela é um viado. Um viadão que nem nós* (Gabrielle).

Também Sissi, numa entrevista, disse que a única transexual que conheceu não tinha atributos muito diferentes dos seus.

*Ela é muito bonita, mas é um puto. Um viado no jeito de falar, e dava gritinhos e toda a frescura de bicha e tal que mulher não tem.*

*Eu acho que a questão de tu ser mais ou menos feminina vai da cabeça de cada uma* (Sissi).

A categoria *cabeça* parece se referir a uma dimensão mais reflexiva de cada sujeito e, ainda que seja complementar à de *estrutura*, possui certa autonomia. Abarca o domínio afetivo e dos sentimentos de cada pessoa e, por isso, está em estreita ligação com a questão da sexualidade e do gênero, portanto, em correlação direta com os processos de transformação corporal. A questão da mudança física da condição de gênero é impulsionada pelos processos sociais e psicológicos localizados na *cabeça*, porque se situa aí a dimensão mais íntima e "verdadeira" de cada sujeito.

Em uma entrevista na casa de Sissi, quando comentávamos sobre suas aventuras amorosas, discutíamos a ação dos hormônios sobre a atuação na relação sexual (estes, além de diminuírem o tamanho do pênis, inibem a produção de sêmen e a ereção[8]). Quando lhe perguntei se sentia prazer ao fazer sexo, afirmou categoricamente:

*É claro que eu tenho prazer. Prazer é uma coisa de cabeça, a gente goza é aqui ó [apontando para a sua cabeça] e não aqui embaixo [apontando para a área genital]* (Sissi).

A *cabeça* é uma categoria da representação de Pessoa vigente nesse grupo que compreende a sede da dimensão moral de cada sujeito.[9] A *cabeça* é o domínio do gênero por excelência, é a forma como as travestis se percebem e se produzem femininamente e constroem sua identidade sexual e social. Muitas acreditam que já nasceram com uma *cabeça* feminina. Por isso, identificam na infância as primeiras manifestações de seu desejo de transformação, referindo-se a algo que está situado corporalmente e preestabelecido: a *cabeça* de cada pessoa.

---

[8] Veja capítulo anterior para maiores detalhes sobre o uso de hormônios e seus efeitos entre as travestis.

[9] A representação de "cabeça" aqui descrita, ao mesmo tempo em que se assemelha sobremaneira àquela apresentada por Duarte (1986) para as classes trabalhadoras urbanas no que se refere à sua concepção do "nervoso", guarda com ela algumas sutis diferenças, percebidas especialmente pelo uso de um repertório de noções do campo "psi" que serão tratadas ao longo do texto.

*Estrutura* e *cabeça,* portanto, estão em posição complementar no que se refere à representação da dimensão interna do indivíduo. Embora às vezes se confundam e sejam até mesmo usadas como sinônimos, guardam uma série de diferenças entre si no que diz respeito aos processos e dinâmicas que lhe são atribuídos.

Enquanto *estrutura* parece referir-se mais a uma dimensão de mediação e comunicação entre o mundo interno do sujeito e a realidade social por ele experimentada, *cabeça* indica um espaço mais profundo, a sede da intimidade e da "verdade" do sujeito.

As categorias *estrutura* e *cabeça* indicam a existência de uma dimensão interna, psicológica, que parece peculiar. A representação presente nessas categorias remete a um repertório de conceitos das ciências "psi" (Velho, 1981: 96), apresentando a dimensão interna como algo ordenado e quase fixo, porém mutável, consoante a ideologia individualista e seus valores correlatos de "liberdade", "universalidade", "autonomia" e "singularidade"[10] (Dumont, 1985).

Conforme os termos de Foucault (1990), os saberes "psi" consolidam-se como uma importante instância de produção social de representações a respeito do indivíduo moderno. A sexualidade e o gênero das travestis, sendo alvo de explicações e categorias dos saberes "psi" e médicos, coloca-as em situação de contato direto e cotidiano com os valores do individualismo, que parecem influenciar sobremaneira a percepção desse grupo no que diz respeito ao seu "mundo interno" ou dimensão psicológica. É somente nos contextos modernos que noções como "a psicologia da pessoa", *cabeça* e *estrutura,* conforme foram descritas, tornam-se possíveis para definir a fonte de "verdade" dos sujeitos, exaltando o mundo interno como instância constitutiva e definidora da representação de Pessoa.

As categorias de *estrutura* e *cabeça,* presentes entre as travestis na sua representação de Pessoa, demonstram a centralidade das noções generificadas para a representação e constituição do sujeito na cul-

---

[10] Duarte (1983, 1986, 1997) e Velho (1981) demonstram o comprometimento do campo "psi" com a noção moderna de indivíduo. Também Foucault (1990), por meio dos conceitos de "tecnologia do self" ou da força disciplinadora do "poder-saber", demonstrou a relação entre a constituição de um campo "psi" e a representação moderna de Pessoa, consubstanciada na noção de indivíduo.

tura desse grupo. Assim, as travestis percebem e identificam as diferentes possibilidades do gênero em cada pessoa por suas relações sociais e também pelos argumentos que apresentam sobre os seus desejos internos, isto é, sobre os ditames da sua *cabeça*. Isso não quer dizer que elas tenham interação e familiaridade com as práticas das ciências psicológicas, como a psicanálise e a psicoterapia. Fazem uso dessas prerrogativas "psi" utilizando-as de outra forma, ao explicar sua condição de transformação como alguma coisa que está além de seu controle racional, situada numa ordem natural.[11]

## A INVENÇÃO DA TRANSEXUALIDADE

Com a recente resolução do Conselho Federal de Medicina que autoriza a cirurgia de transgenitalização para fins de pesquisa e experimentação, uma nova confusão acerca das possíveis classificações do gênero tem ganhado espaço no universo das travestis. Essa confusão deve-se principalmente aos critérios utilizados para autorizar a operação. Para proceder à cirurgia, a pretendente tem que fazer acompanhamento psicológico por um mínimo de dois anos, ao longo do qual são analisadas, entre outros fatores, sua relação com a família e suas práticas sociais.

Logo após a primeira cirurgia realizada legalmente no Brasil, em abril de 1998, em Campinas (SP) — a qual foi amplamente divulgada pela mídia nacional, freqüentemente cercada de sensacionalismo —, fui questionado muitas vezes pelas travestis sobre as verdadeiras diferenças entre elas e as transexuais, que seriam as únicas autorizadas a realizar a cirurgia. Em sua lógica de classificação e identificação, buscavam algum traço diferenciador universalista entre um termo e outro.

---

[11] O surgimento, em meados do século XIX, da Sexologia também cumpre um importante papel na construção desses personagens sociais, e, mesmo que tenha estimulado a ação pública e política dos homossexuais, também acabou por definir "cientificamente" as causas de tal condição (Hekma, 1996). Recorrendo a princípios explicativos que percebem o sujeito cindido entre corpo e alma, os sexologistas apresentaram modelos que até hoje são utilizados, por vezes pelas próprias travestis, para justificar sua condição. Expressões como "alma de mulher em corpo de homem", "sexo invertido" ou "erro da natureza" ainda são empregadas em várias situações, especialmente nos discursos do senso comum, impulsionados pela imprensa e pelos meios de comunicação de massa.

Também por ocasião do V e VII ENTLAIDS (Encontro Nacional de Travestis e Liberados que trabalham com Aids), realizados em São Paulo, em 1997, e em Fortaleza, em 1999, tive a oportunidade de presenciar inúmeras discussões e debates sobre as reais e definitivas diferenças entre as travestis e as transexuais. Mesmo sendo tema de discussão em grupos de trabalho específicos e das inevitáveis e frutíferas elucubrações nos corredores e nos horários fora da programação oficial, a dúvida sobre a "verdadeira" diferença permaneceu para boa parte das participantes.

Embora o movimento político de transexuais seja a cada ano mais expressivo no país, a categoria transexual e seus significados, construídos pelas ciências médicas e psicológicas, são ainda muito exógenos para boa parte das travestis brasileiras. A primeira associação de defesa e luta pelos direitos das transexuais foi o Movimento Transexual Brasileiro, criado em Cuiabá, MT, em 1995. Atualmente há outros grupos consolidados e atuantes no cenário nacional.

Importada da Psicologia e da Sexologia, a categoria *transexual* parece adequar-se mais às realidades experimentadas pelas culturas do Norte, como Estados Unidos e Europa Setentrional, com suas características racionalistas e protestantes tão bem formadas e estabelecidas (ver Kulick, 1998a; Pirani, 1997; Shapiro, 1991), nas quais as diferenças entre os gêneros parecem mais rígidas e rigorosas.

Acredito que as travestis brasileiras são apenas um exemplo dos muitos processos possíveis de transformação de gênero que existem na humanidade. Na cultura ocidental, e também na sociedade brasileira, convivemos com diferentes grupos e pessoas que realizam vários processos de transformação de gênero. Isso não significa que todos experimentem as mesmas emoções e sentimentos, tenham os mesmos valores e pontos de vista, convivam em ambientes socioculturais semelhantes ou mesmo que tenham práticas sociais análogas. Pelo contrário, essas diferentes possibilidades de viver e construir o gênero estão entrecortadas e influenciadas por inúmeros fatores e condições sociais e culturais — por exemplo, a classe social —, aos quais se associam. Por ser criada e produzida no âmbito das ciências médicas e psicológicas, que se utilizam de pressupostos universalizantes e homogeneizantes, a noção de transexual parece de difícil adequação às práticas e identidades que neste trabalho estão em análise, justamente porque essa noção não leva em conta os pontos de vista nativos em sua formulação.

Assim, ainda que muitas travestis tenham o desejo de saber mais sobre as diferenças entre seu corpo e sua identidade e entre elas e as transexuais, poucos são os traços diferenciadores que fazem sentido em seu universo. Muitas ficam tentando entender se são ou não transexuais, outras afirmam inconteste sua transexualidade, e há aquelas que acham desnecessário esse debate.

No Brasil já existe um movimento organizado de transexuais, e essa categoria é um assunto abordado com certa freqüência pela mídia. Várias pessoas, inclusive entre as minhas informantes, auto--identificam-se como transexuais. No entanto, é possível traçar algumas diferenças importantes entre as transexuais e as travestis. As transexuais dominam uma linguagem médico-psicológica refinada, apóiam-se em escritos científicos dessas disciplinas (muitos deles já desacreditados nos seus próprios campos acadêmicos) para explicar e demonstrar seu modo de ser, evidenciam as diferenças entre sua condição e a das travestis por meio de argumentos e razões fundamentadas nas noções de patologia e desvio, crêem-se doentes e deduzem que o tratamento e a cirurgia podem ser o instrumento de correção ou de ajustamento de seu corpo à sua personalidade. Essas concepções estão relacionadas à origem de classe. As informantes que se auto-identificam como transexuais possuem, via de regra, maior escolaridade; têm, portanto, acesso a bibliografias técnicas sobre o assunto com mais facilidade e situam-se mais próximas socialmente das explicações institucionais e científicas sobre a questão.

Durante uma discussão no grupo de travestis do GAPA/RS sobre as semelhanças e diferenças entre travestis e transexuais, chegou-se à conclusão que o principal traço diferenciador é que as últimas não aceitam a sua genitália e negam ter nascido homens, enquanto que as travestis fazem uso ativo de seus órgãos genitais. As transexuais definem-se pela negação das travestis, isto é, as primeiras não querem aquilo do qual as segundas usufruem.

É importante perceber que, enquanto as autodefinições das travestis se baseiam em critérios e características de gênero ambíguos, flui-
dos — como, por exemplo, a não-fixidez dos papéis sexuais ativos e
passivos em suas sexualidades —, as representações construídas pelas
transexuais sobre sua condição afirmam um modelo de gênero defini-
do, rígido, em que a separação entre o masculino e o feminino está
nitidamente marcada. As transexuais negam qualquer potencial erótico do órgão genital masculino; elas não aceitam utilizar o pênis para
o prazer porque, em sua visão, as mulheres não têm pênis. Por isso
desejam tanto a cirurgia de transgenitalização. As transexuais parecem
negar, em suas explicações e justificativas, a ambiguidade, a principal
característica que constrói e define as travestis.

## O UNIVERSO GENERIFICADO DA PROSTITUIÇÃO

O espaço da prostituição é um dos principais lugares sociais de construção e aprendizado do feminino entre as travestis, especialmente
entre as informantes desta pesquisa. Assim, os diversos espaços de
prostituição de travestis espalhados pela cidade, normalmente públicos e exclusivos, servem de camarim e palco para o processo de transformação do gênero.

É nos diferentes territórios de *batalha* que muitas travestis têm
seu primeiro contato com outras *monas* e que vêem concretizados
os seus desejos de transformação. Normalmente são trazidas por
outra travesti que já frequenta o lugar e conhece as demais, o que
lhes garante uma espécie de "proteção" na *quadra*. Ao narrar as
suas histórias sobre o início na prostituição, as travestis referem-se
a esse período como *cair na vida, cair na batalha, cair lá embaixo*
(referindo-se a uma região geográfica da cidade onde há prostituição de travestis, normalmente designada como sendo um lugar de
baixa altitude) ou simplesmente *cair*, o que também é descrito por
Kulick (1998a: 136) em sua pesquisa na cidade de Salvador. Essa
expressão talvez guarde relação direta com a idéia, presente no senso comum, de que a prostituição (e aquela exercida na rua, especialmente) constitui uma ocupação imoral e degradante do ser hu-

mano, como se a pessoa literalmente "caísse" para um nível mais baixo da experiência humana. Por outro lado, esse processo também é visto como uma passagem para o mundo adulto, funcionando a "queda" como um trampolim para uma mudança de *status*, característica também descrita por Prieur (1998a: 72) no México.

Os territórios de prostituição constituem um importantíssimo espaço de sociabilização, aprendizado e troca entre as travestis. Mesmo aquelas que exercem a prostituição apenas esporadicamente freqüentam esses lugares. Há travestis que têm nas zonas de *batalha* o principal (e às vezes o único) ponto de encontro e convívio social. Assim, esses lugares são muito mais do que um espaço de trabalho e fonte de renda; é neles que muitas *monas* fazem amizades, compram e vendem roupas, objetos, materiais de *montagem*, perfumes, adornos, drogas etc. É também nesses lugares que aprendem os métodos e as técnicas de transformação do corpo, incorporam os valores e formas do feminino, tomam conhecimento dos *truques* e técnicas do cotidiano da prostituição, conformam gostos e preferências (especialmente os sexuais), aprendem o *habitus* travesti. Esse é um dos importantes espaços em que as travestis se constroem corporal, subjetiva e socialmente.

É também o principal espaço de trocas matrimoniais. Os maridos e namorados, muitas vezes, são homens que circulam nesses territórios em busca de sexo e diversão. Como bem observa Kulick (1998a: 136), o espaço da prostituição é visto também como um espaço de experiências prazerosas e enriquecedoras do gênero.

É nas *quadras* de *batalha* que se aprendem, por meio de um fluxo de aprovações e reprovações das outras travestis, dos clientes e transeuntes, as formas de ser feminina e de ser desejada pelos homens que ali circulam, sejam eles (potenciais) clientes ou não. O espaço da *batalha* é um dos principais cenários de aprendizado e testagem do gênero, que se dão por meio de um complexo sistema de estímulos, sinais, aprovações e reprovações que confirmam, negam ou questionam os investimentos no processo de transformação do gênero. Esse *feedback* que as travestis esperam das colegas, dos clientes, transeuntes e outras pessoas é fundamental para a conformação dos valores atribuídos ao feminino e ao masculino, que vão sendo construídos em função da aprovação ou não dos investimentos no convívio social.

É na *esquina* que as travestis procuram se exibir, se insinuar e se oferecer de forma a se sentirem atraentes para os desejos dos homens que ali circulam. É na *rua* que sentem que as suas formas corporais e sua performance feminina dão resultado, isto é, são eficientes para que os homens as desejem. Esse espaço é concebido como o principal meio de troca e aprendizado da carreira travesti.

Os diferentes espaços urbanos onde tem lugar a prostituição de travestis podem ser vistos como se estivessem organizados e subdivididos em diversas categorias, que têm como pressuposto uma concepção de gênero que lhes é particular. É claro que as divisões do espaço físico-geográfico em função das representações correntes nesse grupo acerca do masculino e do feminino são altamente fluidas e estão em constante mutação e deslocamento. Mas, ainda assim, é possível perceber certas características femininas (por parte das travestis) e masculinas (por parte dos clientes), que só têm sentido quando concebidas umas em relação às outras e que são distintas em cada espaço. Parece que cada zona é habitada por determinados "tipos" de travestis, que têm traços, formas físicas, concepções estéticas de se vestirem, se adornarem e se comportarem, bem como concepções sobre desejos e práticas sexuais análogos. Ao mesmo tempo, esses espaços são ocupados e visitados por clientes, *bofes* (forma êmica para designar homens) e outras pessoas do universo masculino que estão em posição complementar àquelas características femininas enfatizadas pelas travestis.

Essa organização espacial não significa que as travestis não possam circular por todas as áreas instituídas de comércio sexual de travestis, o que, aliás, é feito por algumas em busca de novos clientes, amigos, informações e diversão. Entretanto, essa circulação também pode ser entendida como um motivo para gerar tensões internas nos diferentes grupos que ocupam ou "disputam" o privilégio de ocupar determinadas regiões de prostituição. Essas tensões, às vezes presentes num espaço que não compreende mais do que três ou quatro quarteirões, nem sempre são resolvidas apenas com discussões e xingamentos: a violência física se faz presente na resolução de algumas querelas.

Essa espécie de regionalização dos espaços também é relatada por Silva (1993) no Rio de Janeiro, por Müller (1992) em Porto Alegre e por Kulick (1998a) em Salvador. É perceptível uma certa hierarquia na ocupação dos territórios, que parece estar baseada, segundo as travestis, em uma relação entre as características dos clientes e as características das *monas* que *batalha*m em determinada zona. Essas características são uma combinação de traços físicos e sociais. Os clientes mais pobres, os caminhoneiros, os que não têm carro e os que são mais feios compartilham espaços com travestis mais velhas, que vivem em situação de maior pobreza e que fazem investimentos (subjetivos e objetivos) menos apurados na fabricação do feminino. Já os clientes com mais dinheiro, com veículos próprios e que pertencem a um estrato social mais elevado freqüentam as zonas ocupadas por travestis mais jovens, que realizam grandes investimentos na construção do feminino, com gosto estético atualizado com as tendências da moda etc. Perlongher (1987) observou dinâmicas análogas entre os michês de São Paulo.

Parece que os espaços da prostituição reproduzem os diferentes valores do masculino e do feminino no universo *trans*, em que travestis e clientes ocupam os mesmos espaços por compartilhar esquemas de gênero semelhantes. É como se o espaço social das travestis e suas diferentes posições, especialmente aquelas sugeridas pelo gênero, se reproduzissem nesse pequeno universo.

## AS RELAÇÕES DE GÊNERO: SEXUALIDADE E RELAÇÕES AFETIVAS

A sexualidade tem sido uma das mais produtivas temáticas no que tange às reflexões sobre a questão do gênero nas ciências sociais. É consenso que os estudos sobre a sexualidade, e especialmente sobre a homossexualidade, embora iniciados sob a rubrica dos "comportamentos desviantes" (Heilborn & Sorj, 1998), trouxeram novas perspectivas para as análises antropológicas sobre o gênero, uma vez que desvincularam o corpo e seus usos (nível "natural") das representações e concepções sobre o que é masculino e feminino (nível "simbólico").

Analisam-se neste trabalho também as preferências e as narrativas de relações sexuais das travestis. E, embora não haja a pretensão de fazer um estudo da sexualidade das travestis (tema que por si só dá pistas e conteúdos para um trabalho específico), cabe trazer à tona esses dados na medida em que a lógica simbólica que os organiza e confere sentido, na perspectiva das travestis, guarda estreita relação com aquela que visa dar sentido às noções de gênero nesse grupo. Os limites e fronteiras entre a sexualidade e o gênero aparecem muito borrados, confusos e fracamente delimitados (Heilborn, 1994), o que remete ao fato de que tais categorias são antes conceitos analíticos do que realidades empíricas independentes. Os dados referentes às preferências e narrativas de relações sexuais são importantes no contexto deste trabalho, pois podem trazer novas luzes e olhares sobre as noções do gênero construídas e vivenciadas pelo grupo analisado.

### Com o *marido* e o namorado

O desejo de ter um *marido* é algo muito corrente no discurso das travestis. Na realidade, apenas uma minoria mantém relações estáveis e duradouras com homens. Das 85 informantes, apenas vinte (23,5%) mantinham, na época da pesquisa, relações há pelo menos três meses com seus cônjuges.

Ainda assim, muitas afirmam que gostariam de ter um marido que as amasse, *"(...) fizesse me sentir mulher"*, como me afirmou Claudete. Essa relação desempenha um importante papel na construção do feminino das travestis, uma vez que é o primeiro e mais eficiente contraponto a todos os investimentos materiais e simbólicos por elas empreendidos. Sentir-se desejada como "mulher" é algo onipresente nos discursos das travestis e parece se constituir mesmo em um objetivo, uma meta a ser atingida quando decidem iniciar o processo de transformação do gênero. A relação estável com um homem confere e afirma o gênero feminino nas travestis, colaborando na construção daquilo que elas chamam de feminino.

Mas quem é o parceiro ideal das travestis? Essa pergunta traz em sua origem uma infinidade de respostas possíveis. Cabe descrever aqui apenas algumas características recorrentes nas declarações das informantes sobre o marido ideal e compreendê-las na relação com os traços do processo de transformação do gênero que elas vivenciam.

Se perguntarmos às travestis como deve ser o marido ideal, talvez a primeira resposta seja: "tem que ser homem". Isso não significa simplesmente que precisa ser uma pessoa do sexo masculino, mas sim que tenha se construído, do ponto de vista das travestis, o mais masculinamente possível. Por trás dessa frase, está o significado primeiro de que o marido tem que ter práticas sexuais ativas, isto é, executar a ação de inserção durante a relação sexual. A oposição ativo/passivo, equiparada à oposição masculino/feminino, é estruturante dos valores atribuídos aos gêneros no universo *trans*. Mais amplamente, essa oposição parece organizar também vários traços daquilo que Parker (1991, 1999) chamou de cultura sexual brasileira. Também Kulick (1998a, 1997) observou que o par ativo/passivo é definidor de práticas e representações sobre o gênero entre as travestis da Bahia.

Michel Misse (1979) foi um dos primeiros estudiosos a problematizar a questão do par ativo/passivo na cultura brasileira, a partir da preocupação em demonstrar o estigma que cerca a posição do sujeito passivo sexualmente, seja mulher ou homem. Peter Fry (1982b) explicou que essa oposição entre ativo e passivo, bem como as definições correlatas, convive com outras formas de organização da homossexualidade na sociedade brasileira. Assim, a oposição entre ativo/passivo, da qual podem ser deduzidas outras, como macho/bicha ou forte/fraco, mais do que aos atributos corporais em si, confere significado às práticas por meio dos usos distintos do corpo. Essa oposição estaria presente, de uma forma mais geral, nas concepções sobre a homossexualidade e os papéis de gênero na cultura mediterrânea (Almeida, 1995; Leal, 1989; Peristiany, 1971) e, em parte por influência desta, na latino-americana (Prieur, 1998a; Sikora, 1998). No entanto, essa não é a única forma pela qual a homossexualidade adquire sentido nos trópicos; é antes uma das formas possíveis de significá-la.

Entre as travestis, a homossexualidade é um dos argumentos onipresentes na definição e no estabelecimento de identidades. Assim, todas as pessoas (sejam anatomicamente homens ou mulheres) que têm desejo sexual por homens estão automaticamente situadas no pólo feminino. O marido das travestis deve, portanto, estar situado no extremo oposto, deve ser aquele que tem o pênis — a essência do masculino segundo esse ponto de vista — capaz de satisfazer as vontades daqueles e daquelas que o desejam.

Por isso, muitas travestis orgulham-se de que seus maridos já tenham sido casados "com mulher de verdade" ou mesmo do fato de terem conquistado esses homens quando eles ainda mantinham relações com mulheres. Esse histórico de relações e de desejo por mulheres denota a virilidade do homem, além de reforçar o seu caráter ativo, uma vez que, com mulheres, não há a possibilidade de esse homem desejar outro pênis (pelo menos no ponto de vista das travestis).

O fato de o *bofe* desejar contato sexual com outro homem de forma passiva, seja assumindo o papel de receptor em uma relação sexual ou mesmo tocando e acariciando o pênis, imediatamente desloca, simbolicamente, esse sujeito para o pólo feminino da relação. Uma vez demonstrado esse tipo de desejo ou prática, ele é automaticamente equiparado às travestis. Isso o desqualifica e o exclui do mercado matrimonial das travestis, embora não do mercado sexual. Segundo o ponto de vista das *monas*, as relações afetivas estão organizadas e significadas por princípios de diferença, fato que também foi percebido por Kulick em Salvador (1998a). A condição de igualdade, medida neste caso pelo desejo pelo pênis, acaba com a possibilidade da relação. Isso não significa que travestis não se relacionem sexualmente com homens que assumem papéis passivos nas relações. No entanto, quando se trata de um marido, a premissa básica é que ele precisa ser diferente no que diz respeito ao desejo, já que a diferença anatômica da área genital não existe. O homem da casa, o marido, não pode assumir um papel feminino (o papel passivo na relação sexual), o que configuraria uma relação anômala segundo os valores dos gêneros entre as travestis.

Por vezes, duas travestis que são muito próximas estabelecem uma relação afetivo-sexual. Esse tipo de relação, embora seja praticamente invisível socialmente, ocorre e, às vezes, perdura por vários anos. No entanto, as travestis raramente admitem essa condição perante o restante do grupo, já que isso seria motivo de chacota e de exclusão por parte das companheiras de *batalha* e mesmo por parte das outras pessoas com quem convivem no universo da prostituição. A relação entre iguais é desaprovada socialmente no universo das travestis, no qual vale a regra da complementaridade, da reciprocidade, da diferença, da relacionalidade.

Os maridos das travestis, via de regra, têm origem social muito semelhante à delas. Procedem em geral das camadas mais baixas da população. Costumam ser homens jovens, com compleição física avantajada, considerados bonitos e/ou atraentes e que têm alguma proximidade com o universo travesti, seja porque já foram namorados de alguma travesti (o que não é raro), seja porque já se prostituíram ou continuam a fazê-lo, ou ainda porque são conhecidos de algum marido de travesti. Ou seja: compartilham universos sociais e simbólicos muito próximos. Além das características corporais, como o tamanho e a forma do tórax e das coxas, o formato do rosto, a demonstração de força, porte e apresentação "viris", o tamanho do pênis é decisivo para que um homem seja considerado atraente.

O tamanho do pênis muitas vezes está equacionado com a qualidade masculina do homem: quanto maior o membro, maior a virilidade. Homens com pênis avantajados são considerados atraentes e desejáveis pelas travestis, especialmente se elas comprovarem as atitudes ativas desse homem mantendo relações com ele. Assim, o marido de travesti que tenha pênis grande pode virar objeto de cobiça e desejo entre todas as travestis que participam de determinada rede de relações. Esse atributo físico é valorizadíssimo e comprova o caráter masculino do homem na equação simbólica ativo/passivo = masculino/feminino.

Além destas características físicas que atestam sua masculinidade, é preciso que o marido (ou o candidato a marido) aja e se apresente de forma masculina: ele precisa viver uma masculinidade estereotipada. Isso pode significar, por exemplo, ser violento ou ter histórico de vivência em situações violentas. Talvez por isso, muitos maridos das travestis são pequenos contraventores, alguns com passagem pelos presídios. Essas qualidades são tão valorizadas que muitas travestis descrevem as relações sexuais ideais por meio de imagens de situações agitadas, nas quais o marido tem atitudes quase animalescas e, não raro, violentas, sendo o pênis dele o centro da ação. As travestis acreditam que se entregando irrestritamente a ele estarão desempenhando suas qualidades femininas. Para as informantes, esse tipo de relação sexual seria o único realmente satisfatório e prazeroso, pois se sentiriam tratadas e desejadas pelos seus atributos femininos.

Para tornar esse quadro mais complexo, é comum que muitos maridos sejam sustentados materialmente pelas travestis. Em grande parte das relações, essa situação é o que define a relação como a de marido/esposa, ou marido/travesti. As travestis costumam exercer o papel de provedoras no que diz respeito a comida, bebida, roupas, drogas, moradia e diversão. Os maridos, na maioria dos casos, ficam em casa boa parte do dia e da noite, gastando seu tempo vendo televisão ou consumindo algum tipo de droga. Aqueles que exerciam alguma profissão acabam por abandoná-la, na maior parte dos casos por insistência das travestis. É comum que os maridos sejam sustentados pelas travestis; relatos de maridos que trabalham e colaboram com as despesas domésticas são raros e vistos com muito respeito e admiração. Para as travestis, o fato de sustentarem seus *bofes* não causa nenhuma estranheza ou contradição. Acreditam que, assim fazendo, manterão seus *bofes* fiéis. Segundo Janete: *"(...) esses bofes gostam é dos nossos acués* (dinheiro)*, porque homem que é homem gosta de mulher."*

Algumas vezes, os maridos podem se tornar parceiros das travestis em pequenos furtos e golpes pelo mundo da noite e da prostituição. Isso pode fazer aumentar os ganhos financeiros de ambos e mostra, publicamente, o valor do vínculo entre eles. Ainda assim, é comum que as travestis sintam-se mais responsáveis pelo sustento financeiro do casal, procurando garantir as despesas.

Por outro lado, esta costuma ser uma das razões citadas por algumas travestis ao explicar por que não desejam estabelecer relações com maridos. Não querem aceitar o papel de provedora do lar e acreditam que a maior parte dos homens, ao se relacionar com travestis, tem como objetivo ser sustentado por elas.

Entretanto, a lógica do amor romântico, do estar "apaixonada", visto como um sentimento puramente feminino, dá sentido e organiza essas práticas. As travestis se "apaixonam" de uma forma supostamente feminina, isto é, na sua lógica do que é feminino e que significa entregar-se totalmente ao homem amado, inclusive no que diz respeito a seus bens materiais.[12] A manutenção da relação por meio do sustento material que a travesti oferece ao seu marido pode também servir como uma espécie de "compensação" pela fidelidade exigida dele, em contraposição à contínua exposição dela no mundo da prostituição. Os maridos das travestis têm que ser fiéis. As traições, especialmente aquelas com outras travestis, são abominadas e passíveis de ser vingadas, inclusive com violência.

## COM OS CLIENTES: "*ESSAS MARICONA SÃO TUDO PODRE!*"

Os clientes das travestis no mercado da prostituição são, em sua absoluta maioria, homens, ainda que histórias de negociação com casais também estejam presentes nos relatos das travestis. Os homens que procuram os serviços sexuais das travestis não podem ser estereotipados e são de difícil descrição e categorização devido à invisibilidade de sua situação, já que a própria prostituição é concebida pelo senso comum como uma atividade exercida pelos profissionais do sexo e nunca encarada como uma relação em que o cliente tem importante papel na construção dos significados que a governam.

---

[12] Kulick (1998a: 107) também percebeu essa lógica simbólica entre as travestis de Salvador.

Ainda que de forma não muito nítida, é possível divisar duas principais formas de descrever os clientes que aparecem nos discursos das travestis: as *maricona* e os *home* (as formas êmicas são empregadas assim mesmo no singular). No primeiro grupo parecem estar incluídos todos aqueles que, mesmo com imagem e apresentação de si masculinas, têm desejos de assumir a posição passiva em uma relação sexual com travestis. As *maricona* são vistas com certo desprezo, porque parece que não tiveram a coragem e a ousadia experimentadas pelas travestis, ou melhor, nem *cabeça* nem *estrutura*, para assumir socialmente o desejo e a inclinação femininos. A esse tipo de clientes são atribuídos adjetivos como *recalcada, vicioso, nojenta, enrustido,* que buscam denotar a "falsa" (pelo menos aos olhos das travestis) identidade vivida pelas *maricona*. Esses clientes, normalmente de classes sociais mais altas, mais velhos, que parecem constituir famílias nucleares tradicionais, procuram as travestis em carros vistosos. Costumam contratá-las para práticas como sexo oral, sexo anal ou mesmo situações mais fantasiosas, como serem vestidos com as roupas íntimas das travestis ou masturbar-se observando um *strip-tease*. Exatamente por estarem identificados com uma posição feminina nessa lógica dos valores do gênero, esses clientes "merecem" ser explorados, segundo as travestis. Freqüentemente são eles as vítimas mais comuns dos pequenos assaltos, furtos e chantagens cometidos por algumas travestis. Mesmo violentados, eles voltam a freqüentar os locais de prostituição, tornando a sair com suas "algozes", o que, aos olhos das travestis, só ratifica e dá validade a seus julgamentos derrogatórios a respeito desses homens.

Já o segundo grupo, o dos *home*, congrega homens jovens, que fazem parte de grupos sociais semelhantes aos das travestis. Eles procuram as *monas* no mercado da noite, alguns a pé, para assumir papéis ativos nas relações sexuais da prostituição. Contratam as travestis exclusivamente pelos atributos e formas femininas, isto é, para que assumam posições passivas em todas as práticas sexuais contratadas. Essa espécie de cliente também não costuma interessar-se pelo pênis das travestis, que elas procuram ocultar e proteger durante as relações, colocando em evidência os seios, as nádegas e os cabelos, por exemplo. Há muitas características que aproximam esse tipo de cliente dos homens com quem as travestis *bóiam*. *Boiar* significa fazer sexo gratuito com um potencial cliente ou com algum parceiro encontrado durante o trabalho na prostituição.[13] Alguns desses homens podem mesmo transitar entre os papéis de cliente e de *boiação*.

A maior parte das travestis que se prostituem costuma sair e *fazer programa* com ambos os tipos de clientes. Há algumas que afirmam que não aceitam serem contratadas para assumir posições ativas, pela "inversão lógica" que isto representa em seu quadro conceitual de gênero, ou mesmo pela ação dos hormônios, que fazem com que muitas travestis não tenham mais ereções, inviabilizando esse tipo de serviço. A opinião comum entre as travestis é que as *maricona* são o tipo mais habitual de cliente, fato que é atestado inclusive pelo sucesso no mercado da noite daquelas travestis que têm pênis maiores, e, por isso, são mais requisitadas. Essas travestis *batem portinhas,* como dizem as outras, isto é, embarcam e desembarcam de muitos carros, do que se deduz que alcançam ganhos financeiros maiores.

## As boiações

As *boiações,* que são o aceite por parte da travesti a uma proposta de sexo gratuito com um homem durante o período de trabalho na rua, são acontecimentos cotidianos no ambiente da prostituição. *Boiação* é o termo empregado pelas travestis para dar significado àquelas relações sexuais rápidas, com homens interessantes e que não envolvem negociação financeira. É quase como um serviço da prostituição, com a peculiaridade de ser gratuito.[14]

Ao longo da noite, muitos homens circulam pelos ambientes da prostituição de travestis. Há muitos curiosos que nem sequer fazem propostas de programas, há os que são clientes das travestis e há ainda outros que fazem propostas em que o dinheiro não está

---

[13] Essa questão está mais bem detalhada na próxima seção deste capítulo.
[14] As travestis de Salvador denominam este ato de "vício", conforme Kulick (1998a: 29).

presente, oferecendo seu corpo e, principalmente, seu pênis para as travestis.

Os homens com quem as travestis *bóiam* são normalmente homens jovens, de classes populares e universos similares aos delas. Esses homens podem também integrar o mercado matrimonial das travestis, tornando-se maridos. O sexo grátis durante o período de trabalho é realizado somente com homens que sejam ativos, isto é, que ofereçam suas qualidades masculinas para as travestis. As qualidades exigidas desses homens estão depositadas em seus atributos corporais, como as formas e traços do corpo e, é claro, o tamanho do pênis, muitas vezes fator decisivo para o aceite da travesti. Há alguns homens, inclusive, que já são famosos em determinada área de prostituição pelo tamanho de seu pênis, o que lhes confere um *status* peculiar: podem ter sexo sempre que quiserem.

Outras qualidades valorizadas em um homem para *boiar* com ele são as suas insígnias do masculino, que podem estar para além das formas do corpo. Ainda que não tenha um corpo com formas ideais ou mesmo um pênis avantajado, um policial, por exemplo, pode manter relações sexuais grátis com as travestis, pois, pela sua posição social, está investido de muitas qualidades masculinas. Há também outros personagens que circulam pelo mundo da noite (os taxistas, por exemplo) que também parecem constituir um público tradicional das *boiações* das travestis.

Está implícito nesse tipo de contrato — diferentemente da prostituição, em que normalmente se discutem todas as práticas previamente com o cliente — que a travesti assumirá papéis passivos enquanto que o homem será o ativo. Normalmente as *boiações* são realizadas nos *escurinhos*, lugares ermos ou abandonados situados próximos aos pontos de *batalha*. Essas relações não duram muito tempo e normalmente envolvem práticas como sexo anal ou apenas sexo oral, mas também podem envolver carícias e afagos, que estão mais próximos das relações com o marido do que das relações com os clientes.

Não é raro também que um homem que primeiramente se aproximou de uma travesti para uma *boiação* se torne seu marido.

Ou o contrário: o marido, ou ex-marido, de alguma travesti freqüentar o ambiente da prostituição em busca de relações sexuais grátis com as *monas*.

As travestis buscam nessas relações sentirem-se desejadas, requisitadas em função de suas qualidades femininas, o que encontram principalmente nas propriedades e práticas ativas, pelo menos no que diz respeito ao âmbito sexual dessa noção. A busca por uma qualidade intrinsecamente associada ao gênero na vida social e, sobretudo, nas relações afetivo-sexuais que as travestis mantêm é uma espécie de motor propulsor de sua construção e transformação de gênero.

## À GUISA DE CONCLUSÃO:
## A AMBIGÜIDADE DAS TRAVESTIS

As travestis, por meio de seus caminhos e processos, conquistaram um espaço peculiar na cultura brasileira. Um espaço que se caracteriza por ser ambíguo, no qual estão presentes ao mesmo tempo os preconceitos, a exclusão, o caráter exótico que cerca esse grupo aos olhos do senso comum e das instituições e os valores e novos olhares, pautados no respeito e na garantia às particularidades e especificidades apresentadas pelas travestis.

A formação de um movimento social específico de travestis ou de transexuais que se propõe a lutar contra a discriminação e a exclusão social é apenas um dos indícios de que essa realidade está em constante transformação e fabricação. É por meio da mobilização política que as garantias da cidadania podem ser alcançadas. Por isso, muitas travestis e transexuais acreditam que dessa forma poderão alcançar os benefícios e as vantagens que são comuns a todos os cidadãos (Klein, 1998).

Talvez esse espaço relativo que as travestis têm conquistado na nossa sociedade guarde relação com traços e valores mais amplos da cultura brasileira. O fato de que no Brasil, segundo Parker (1991), os valores atribuídos ao masculino e ao feminino sejam flexíveis e pouco delimitados, construindo um quadro mais "permissivo" no que diz respeito aos gêneros e à sexualidade e seus usos, garante possibilidades para que os desejos de transformação e construção do feminino sobre um corpo masculino sejam realizados. Assim, as travestis, ao fabricar formas e contornos femininos nos seus corpos, estão construindo seu próprio gênero, seus próprios valores relacionados ao feminino e ao masculino, que constituem, em suma, os processos sociais de fabricação dos sujeitos.

Se na cultura brasileira os limites entre o feminino e o masculino não são estabelecidos apenas pelas estruturas corporais dos sujeitos, havendo uma relativa liberdade para o trânsito entre práticas, corpos e valores considerados masculinos e femininos, os papéis sexuais não seguem a mesma lógica. Pelo contrário, a rigidez dos valores e significados atribuídos às práticas e desejos sexuais nesse contexto é um dos fatores que enquadra as travestis na categoria mais ampla dos homossexuais, ou, em linguagem êmica, na categoria de *viados*. Esta é mais uma ambigüidade que cerca as travestis: enquanto o olhar institucional e da sociedade ampla as vê como homossexuais — concebendo-as a partir dos valores atribuídos aos papéis e práticas sexuais —, as travestis se transformam e se fabricam com valores pautados em conceitos de outra ordem, sobretudo aqueles relativos ao gênero e seus usos. Esse jogo ambíguo do gênero é muito sutil e performático: os trânsitos entre a grande categoria *homossexuais* e a específica *travestis* é sempre negociado, fabricado, refeito, reinventado.

A aproximação das travestis com a questão mais ampla da sexualidade — que segundo Foucault (1990) é uma invenção da cultura ocidental moderna que, por sua vez, pode ser articulada aos valores do individualismo, tais como formulados por Dumont (1985) — situa esse grupo numa posição peculiar no que concerne às suas concepções acerca da Pessoa. Ao mesmo tempo em que as travestis se constroem influenciadas por valores e práticas típicas do individualismo moderno, como, por exemplo, a determinação de identidades e subjetividades pela sexualidade, elas vivem e se socializam em ambientes tipicamente relacionais, que são os das classes populares no Brasil. Essa duplicidade de padrões e lógicas sociais, que parece caracterizar a cultura brasileira (Duarte, 1986), também é típica da cultura *trans*. O individualismo de sua condição (exemplificado pela autodeterminação de seus corpos, sexualidades e gêneros), em contraposição ao holismo de seus contextos (indicado pelos lugares sociais em que se socializam e convivem cotidianamente), faz com que as travestis desenvolvam concepções particulares acerca do feminino que vivenciam.

Especificamente pelo fato de as travestis se localizarem num lugar especial, por se encontrarem nas "fronteiras do gênero" (Heilborn, 1998), acredito que o exemplo da sua cultura e do seu gênero, analisado neste trabalho, é um caso paradigmático para a compreensão dos processos sociais que cercam a feitura dos gêneros. As travestis vivem e personificam um jogo do gênero — seja verbal, corporal ou das relações — que é artificial e manipulado, criado e reinventado, que tem forma e conteúdo culturais. Elas demonstram, por meio de suas práticas e dos significados atribuídos ao masculino e ao feminino, as características culturais dos processos de fabricação e construção do gênero dos sujeitos. E mais: contribuem para uma compreensão ampliada sobre o papel do corpo nesse processo, demonstrando que a incorporação dos valores e das práticas não pode ser explicada simplesmente pela idéia de um esquema mental aplicado sobre um corpo natural, mas sim a partir da consideração da própria criação e experimentação corporal dessas características e valores. Ao apresentar as travestis e seus processos de fabricação corporal, subjetiva e social, procurei ampliar nosso conhecimento acerca das características sociais e culturais que compõem os processos mais gerais de feitura do gênero.

É a incorporação do seu feminino que autoriza as travestis a personificar a ambigüidade, a polissemia de suas relações. Ao mesmo tempo em que produzem meticulosamente traços e formas femininas no corpo, estão construindo e recriando seus valores de gênero, tanto no que concerne ao feminino como ao masculino. A ingestão de hormônios, as aplicações de silicone, as roupas e os acessórios, o *acuendar a neca*, as depilações são momentos de um processo que é maior e que tem por resultado a própria travesti e o universo que ela cria e habita.

Da mesma forma, os arranjos e jogos das relações que estabelecem com os clientes da prostituição, com os maridos, com os *bofes*, com as outras travestis, com a família e com a sociedade mais ampla estão, sobretudo, pautados e organizados pelos valores que cercam o feminino e o masculino nesse universo: estão construídos pela lógica do gênero. As travestis demonstram, por meio dessas práticas e relações, como masculinidade e feminilidade constituem processos e signos, e não características naturais determinadas pelos corpos de homem e de mulher. Os corpos, que estão presentes em todos os momentos dos seus processos de transformação, também se reinventam, se fabricam, se redesenham e experimentam as sensações, as práticas e os valores do gênero.

As travestis não desejam *ser* como as mulheres. Seu objetivo, antes, é se *sentirem* como mulheres, se *sentirem* femininas. Vivem a experiência do gênero como um jogo artificial e passível de recriação. Por isso, criam um feminino particular, com valores ambíguos. Um feminino que se constrói e se define em relação ao masculino. Um feminino que é por vezes masculino. Vivem, enfim, um gênero ambíguo, borrado, sem limites e separações rígidas. Um jogo bastante contextual e performático, mas também rígido e determinado.

Por isso, talvez, uma certa imagem ao mesmo tempo de mistério e preconceito cerca as travestis, tornando-as simultaneamente "sedutoras" e "perigosas". Seu poder transformador, sua garra em questionar os padrões e garantir suas diferenças estão explícitos nos seus corpos.

É a não-adequação, aos olhos do senso comum, entre os significados dos seus corpos e os de suas práticas sociais e sexuais, que confere às travestis um poder especial, ambíguo, uma aura subversiva e perigosa, mas ao mesmo tempo sedutora e libertária. Elas questionam e reinventam os próprios modos de fabricação dos sujeitos, trazendo para si o poder de conformar suas curvas, seus desejos, suas práticas e significados do gênero.

## REFERÊNCIAS BIBLIOGRÁFICAS

ALBUQUERQUE, Fernanda de Farias & JANELLI, Maurizio (1995). *A princesa —
Depoimentos de um travesti brasileiro a um líder das Brigadas Vermelhas*. Rio de
Janeiro, Nova Fronteira.

ALMEIDA, Miguel Vale de (1995). *Senhores de si — Uma interpretação antropológica
da masculinidade*. Lisboa, Fim de Século.

ALVES, Paulo César & MINAYO, Maria Cecília (orgs.) (1994). *Saúde e doença: um
olhar antropológico*. Rio de Janeiro, Fiocruz.

ALVES, Paulo César & RABELO, Miriam Cristina (orgs.) (1998). *Antropologia da
saúde: Traçando identidade e explorando fronteiras*. Rio de Janeiro, Fiocruz/
Relume Dumará.

AQUINO, Luís Otávio (1995). "Discurso lésbico e construções de gênero". *Horizontes Antropológicos*, 1 (*1*): 74-94.

AUGÉ, Marc (1986). "L'Anthropologie de la maladie". *L'Homme*. 26 (*1-2*): 81-90.

BASTIDE, Roger (1959). "O homem disfarçado em mulher" In: *Sociologia do Folclore
brasileiro*. São Paulo, Anhambi, p. 60-65.

BATESON, Gregory (1958[1936]). *Naven — A Survey of The Problems Suggested by
a Composite Picture of The Culture of a New Guinea Tribe Drawn from Three
Points of View*. Stanford, Stanford University Press.

BENEDETTI, Marcos Renato (1996). Uma etnografia pelo corpo travesti. Porto
Alegre. (mimeo)

_____ (2002). "A calçada das máscaras". In: GOLIN, Célio e WEILER, Luís Gustavo (orgs.). *Homossexualidades, cultura e política*. Porto Alegre, Sulina, p. 140-152.

_____ (1997). "Toda feita: gênero e identidade no corpo travesti". *Corpus*, nº 8/97,
Série Textos de Divulgação. Porto Alegre, NUPACS.

BENEDICT, Ruth. s/d [1938]. *Padrões de cultura*. Lisboa, Livros do Brasil.

BIRMAN, Patrícia (1995). *Fazer estilo, criando gêneros: possessão e diferenças de gênero
em terreiros de umbanda e candomblé no Rio de Janeiro*. Rio de Janeiro, Relume
Dumará/Editora da UERJ.

BOLIN, Anne (1996). "Transcending and Transgendering: Male-to-Female Transe-
xuals, Dichotomy and Diversity." In: HERDT, Gilbert (ed.). *Third Sex, Third
Gender — Beyond Sexual Dimorphism in Culture and History*. Nova York, Zone
Books, p. 447- 486.

BOURDIEU, Pierre (1980). *Le sens pratique*. Paris, Le Minuit.

_____ (1983). "Gostos de classe e estilos de vida" In: *Pierre Bourdieu*. São Paulo,
Ática, p. 82-121. [Coleção Grandes Cientistas Sociais]

_____ (1986). "Notas provisionales sobre la percepción social del cuerpo". In: ALVAREZ-URÍA, Fernando & VARELA, Júlio (eds.). *Materiales de sociologia crítica.* Madrid, Ediciones de la Piqueta, p. 183-194.

_____ (1994). "Stratégies de réproduction et modes de domination." *Actes de la Recherche en Sciences Sociales.* Paris, v. 105, p. 3-12.

_____ (1994). *Outline of a Theory of Practice.* Cambridge, Cambridge University Press.

_____ (1995). "A dominação masculina". *Revista Educação & Realidade.* 20 (2): 133-84, jul/dez.

_____ (1999). *A dominação masculina.* Rio de Janeiro, Bertrand Brasil.

BRAIN, Robert (1978). "Transexualism in Oman?", *Man* (N. S.), 13 (2): p. 322-323.

BRAITERMAN, Jared (1998). "Sexual Science: Whose Cultural Diference?". *Sexualities,* 1 (3): 313-326.

BUTLER, Judith (1990). *Gender Trouble: Feminism and The Subversion of Identity.* New York, Routledge.

_____ (1999). "Corpos que pesam: sobre os limites discursivos do 'sexo'". In: LOURO, Guacira Lopes (org.). *O corpo educado: pedagogias da sexualidade.* Belo Horizonte, Autêntica.

CLASTRES, Pierre (1990). *A sociedade contra o Estado.* Rio de Janeiro, Francisco Alves.

CONNELL, Robert (1987). *Gender and Power: Society, the Person and Sexual Politics.* Stanford, Stanford University Press, e Oxford, Polity Press.

CORNWALL, Andrea (1994). "Gendered Identities and Gender Ambiguity Among Travestis in Salvador, Brazil". In: CORNWALL, Andrea & LINDISFARNE, Nancy. *Dislocating Masculinity.* Londres, Routledge.

CORRÊA, Marilena (1995). "Medicalização social e a construção da sexualidade". In: LOYOLA, Maria Andrea (org.). *Aids e sexualidade — O ponto de vista das ciências humanas.* Rio de Janeiro, Relume Dumará.

CORRÊA, Mariza (1982). "Antropologia & Medicina Legal: variações em torno de um mito". In: EULALIO, Alexandre et alii. *Caminhos cruzados — linguagem, antropologia, ciências naturais.* São Paulo, Brasiliense, p. 53-64.

COSTA, Jurandir Freire (1992). *A inocência e o vício — Estudos sobre o homoerotismo.* Rio de Janeiro, Relume Dumará.

COURTINE, Jean-Jacques (1995). "Os stakhanovistas do narcisismo: *body-building* e puritanismo ostentatório na cultura americana do corpo". In: SANT'ANNA, Denise de Bernuzzi (org.). *Políticas do corpo.* São Paulo, Estação Liberdade, p. 81-114.

CSORDAS, Thomas (1994). "Introduction: The Body as Representation and Being-in-the-world". In: _____ (ed.). *Embodiment and Experience: The Existencial Ground of Culture and Self.* Cambridge, Cambridge University Press, p. 1-24.

_____ (1988). "Embodiment as a Paradigm for Antropology", *Ethos (18)*: 5-47.

DAMATTA, Roberto (1978). "O ofício de etnólogo ou como ter *Anthropological Blues*". In: NUNES, Edson de Oliveira (org.). *A aventura sociológica — Objetividade, paixão, improviso e método na pesquisa social.* Rio de Janeiro, Zahar.

DENIZART, Hugo (1998). *Engenharia erótica — Travestis no Rio de Janeiro.* Rio de Janeiro, Zahar.

DEVEREUX, G (1937). "Institutionalised Homosexuality of the Mohave Indians", *General Biology (9)*: 498-527.

DOUGLAS, Mary (1978). "Los dos cuerpos". In: *Símbolos naturales: exploraciones en cosmología.* Madrid, Alianza Editorial.

DUARTE, Luiz Fernando Dias & LEAL, Ondina Fachel (orgs.) (1988). *Doença, sofrimento, perturbação: perspectivas etnográficas.* Rio de Janeiro: Fiocruz.

DUARTE, Luiz Fernando Dias (1983). "Três ensaios sobre pessoa e modernidade". *Boletim do Museu Nacional.* Rio de Janeiro, Nova Série, nº 41, agosto.

_____ (1986). *Da vida nervosa nas classes trabalhadoras urbanas.* Rio de Janeiro, Zahar/CNPq.

_____ (1987). "Pouca vergonha, muita vergonha: Sexo e moralidade entre as classes trabalhadoras". In: LEITE LOPES, José Sérgio (org.). *Cultura e identidade operária: Aspectos da cultura de classe trabalhadora.* Rio de Janeiro, UFRJ/Marco Zero.

_____ (1997). "Introdução: a análise da Pessoa moderna pela história e etnografia dos saberes psicológicos". *Cadernos do IPUB — Noção de pessoa e institucionalização dos saberes psicológicos no Brasil.* Instituto de Psiquiatria/UFRJ, (8): 1-10.

DUMONT, Louis (1992). *Homo Hierarcchicus — O sistema de castas e suas implicações.* São Paulo, Edusp.

DUMONT, Louis (1993). *O individualismo — uma perspectiva antropológica da ideologia moderna.* Rio de Janeiro, Rocco.

EVANS-PRITCHARD, Edward (1978). *La relación hombre-mujer entre los azande.* Barcelona, Editorial Crítica.

FERREIRA, Jacqueline (1994). *O corpo sígnico: representações sobre corpo, sintomas e sinais em uma vila de classe popular.* Porto Alegre, Programa de Pós-Graduação em Antropologia Social/UFRGS (dissertação de mestrado).

FIRTH, Raymond (1998). *Nós, os Tikopias.* São Paulo, Edusp.

FLORENTINO, Cristina de Oliveira (1998). *Bicha tu tens na barriga, eu sou mulher: etnografia sobre travestis em Porto Alegre*. Programa de Pós-Graduação em Antropologia Social, Universidade Federal de Santa Catarina (dissertação de mestrado).

FOOTE-WHITE, William (1990). "Treinando a observação participante". In: ZALUAR, Alba (org.). *Desvendando máscaras sociais*. Rio de Janeiro, Francisco Alves, p. 77-86.

FOUCAULT, Michel (1982). *Herculine Barbin — O diário de um hermafrodita*. Rio de Janeiro, Francisco Alves.

_____ (1990). *História da sexualidade I — A vontade de saber*. Rio de Janeiro, Graal.

FRY, Peter (1982a). "Homossexualidade masculina e cultos afro-brasileiros". In: *Para inglês ver — Identidade e política na cultura brasileira*. Rio de Janeiro, Zahar.

_____ (1982b). "Da hierarquia à igualdade: A construção histórica da homossexualidade no Brasil". In: *Para inglês ver — Identidade e política na cultura brasileira*. Rio de Janeiro, Zahar.

_____ (1982c). "Febrônio Índio do Brasil: onde cruzam a psiquiatria, a profecia, a homossexualidade e a lei". In: EULALIO, Alexandre et alii. *Caminhos cruzados — linguagem, antropologia, ciências naturais*. São Paulo, Brasiliense, p. 65-80.

GARFINKEL, Harold (1967). "Passing and The Managed Achievement of Sex Status in An 'Intersexed' Person, part 1". In: *Studies in Ethnomethodology*. New Jersey, Prentice-Hall.

GASPAR, Maria Dulce (1985). *Garotas de programa — Prostituição em Copacabana e identidade social*. Rio de Janeiro, Zahar.

GOFFMAN, Erving (1978). *Estigma — Notas sobre a manipulação da identidade deteriorada*. Rio de Janeiro, Zahar.

_____ (1993). *A representação do eu na vida cotidiana*. Rio de Janeiro, Jorge Zahar.

GOULET, Jean-Guy (1997). "'The 'Berdache' — 'Two Spirit': A Comparison of Anthropological and Native Constructions of Gendered Identities Among The Northern Athapaskans". *The Journal of Royal Anthropological Institute* (N. S.), (*2*): 683-701.

GUIMARÃES, Carmem Dora (2004). *O homossexual visto por entendidos*. Rio de Janeiro, Garamond.

HEILBORN, Maria Luiza (1996). "Ser ou estar homossexual: dilemas de construção de identidade social". In: PARKER, Richard & BARBOSA, Regina (orgs.). *Sexualidades brasileiras*. Rio de Janeiro, ABIA/IMS-UERJ/Relume Dumará, p. 136-145.

_____ (1998). "Gênero e sexo dos travestis". *Sexualidade, Gênero e Sociedade*. IMS-UERJ, (*7-8*): 3, abr.

_____ (1994). "De que gênero estamos falando?". *Sexualidade, Gênero e Sociedade*. IMS/UERJ, 1 (*2*): dez.

HEILBORN, Maria Luiza & SORJ, Bila (1998). *Estudos de gênero*. Comunicação apresentada no Seminário "As Ciências Sociais no Brasil: Tendências e Perspectivas". São Pedro, SP, Anpocs.

HEKMA, Gert (1996). "'A Female Soul in a Male Body': Sexual Inversion as Gender Inversion in Nineteenth-Century Sexology". In: HERDT, Gilbert (ed.). *Third Sex, Third Gender — Beyond Sexual Dimorphism in Culture and History*. Nova York, Zone Books, p. 213-239.

HERDT, Gilbert (1996). "Introduction". In: HERDT, Gilbert (ed.). *Third Sex, Third Gender — Beyond Sexual Dimorphism in Culture and History*. Nova York, Zone Books, p. 21-84.

HERTZ, Robert (1980). "A preeminência da mão direita: um estudo sobre a polaridade religiosa". *Religião e Sociedade*. Rio de Janeiro, nº 6.

JARDIM, Denise (1995). "Performance, reprodução e produção dos corpos masculinos." In: LEAL, Ondina Fachel (org.). *Corpo e significado — Ensaios de antropologia social*. Porto Alegre, Editora da Universidade, p. 193-206.

JAYME, Juliana (1998). *Personagens e máscaras na noite, uma discussão de gênero — Interpretando as distinções e encontros entre travestis, transformistas e drag-queens*. Texto apresentado no Grupo de Trabalho "Relações de Gênero" da XXI Reunião da Associação Brasileira de Antropologia. Vitória, ES, abril de 1998.

KESSLER, Suzanne & McKENNA, Wendy (1978). *Gender: An Ethnomethodological Approach*. Chicago, University of Chicago Press.

KLEIN, Charles (1996). *AIDS, Activism and Social Imagination in Brazil*. Ann Arbor, Universidade de Michigan (tese de doutorado).

_____ (1998). "From One 'Battle' to Another: The Making of a Travesti Political Movement in a Brazilian City". *Sexualities*, 1 (*3*): 327-342.

KULICK, Don (1996). "Causing a Commotion: Public Scandals As Resistance Among Brazilian Transgendered Prostitutes". *Anthropology today*, 12 (*6*): 3-7.

_____ (1997). "The Gender of Brazilian Transgendered Prostitutes" *American Anthropologist*, 99 (*3*): 547-585.

_____ (1998a). *Travesti — Sex, Gender and Culture Among Brazilian Transgendered Prostitutes*. Chicago e Londres, University of Chicago Press.

_____ (1998b). "Fe/Male Trouble: The Unsetting Place of Lesbians in the Self-Images of Brazilian *Travesti* Prostitutes". *Sexualities*, 1 (*3*): 299-312.

LANCASTER, Roger (1998). "Transgenderism in Latin America: Some Critical Introductory Remarks on Identities and Practices". *Sexualities*, 1 (*3*): 261-74.

LANDES, Ruth (1994) [1947]. *The City of Women*. Albuquerque, University of New Mexico Press.

LE BRETON, David (1995). "A Síndrome de Frankenstein". In: SANT'ANNA, Denise de Bernuzzi (org.). *Políticas do corpo*. São Paulo, Estação Liberdade, p. 49-68.

LEAL, Ondina Fachel & BOFF, Adriane de Mello (1996). "Insultos, queixas, sedução e sexualidade: fragmentos de identidade masculina em uma perspectiva relacional". In: PARKER, Richard & BARBOSA, Regina (orgs.). *Sexualidades brasileiras*. Rio de Janeiro, ABIA/IMS-UERJ/Relume Dumará.

LEAL, Ondina Fachel (1989). *The Gauchos: Male Culture and Masculinity in The Pampas*. Berkeley, University of California (tese de doutorado).

_____ (1998). "Cultura reprodutiva e sexualidade". *Estudos feministas*, 6 (*2*): 376-392.

LEROI-GOURHAM, André. s/d. *O Gesto e a Palavra II — Memórias e ritmos*. Lisboa, Edições 70. [Coleção Perspectivas do Homem]

LEVI, Heather (1998). "Lean Mean Fighting Queens: Drag in the World of Mexican Professional Wrestling". *Sexualities*, 1 (*3*): 275-286.

LÉVI-STRAUSS, Claude (1974). "Introdução: A obra de Marcel Mauss". In: MAUSS, Marcel. *Sociologia e antropologia*. São Paulo, EPU/Edusp, p. 1-36.

LEVY, Robert (1971). "The Community Function of Tahitian Male Transvestism: A Hipothesis". *Anthropological Quarterly*, 44 (*1*): 12-21.

LEWINS, Frank (1995). *Transsexualism in Society: a Sociology of Male to Female Transsexuals*. Melbourne, Australia, MacMillan Education.

LOPES, Suzana Helena Soares da Silva (1995). "Corpo, metamorfose e identidade: De Alan a Elisa Star". In: LEAL, Ondina Fachel (org.). *Corpo e significado — Ensaios de antropologia social*. Porto Alegre, Editora da Universidade, p. 227-232.

MACCORMACK, Carol & STRATHERN, Marilyn (eds.) (1980). *Nature, Culture and Gender*. Cambridge, University of Cambridge Press.

MACRAE, Edward & FRY, Peter (1983). *O que é homossexualidade?* São Paulo, Brasiliense.

MACRAE, Edward (1990). *A construção da igualdade — Identidade sexual e política no Brasil da abertura*. Campinas, Editora da Unicamp.

MAGEO, Jeannette Marie (1992). "Male Transvestism and Cultural Change in Samoa". *American Ethnologist*, 19 (*3*): 443-459.

MALINOWSKI, Bronislaw (1976). *Argonautas do Pacífico Ocidental*. São Paulo, Abril Cultural. [Coleção Os Pensadores]

_____ (1983). *A vida sexual dos selvagens.* Rio de Janeiro, Francisco Alves.

MASOTTI, Márcio (1994). O travestismo. Porto Alegre. (mimeo)

MATORY, J. Lorand (1994). *Sex and the Empire That Is No More: Gender and the Politics of Metaphor in Oyo Yorubá Religion.* Minneapolis, University of Minnesota.

MAUSS, Marcel (1974a). "As técnicas corporais". In: *Sociologia e antropologia.* São Paulo, EPU/Edusp, p. 211-233.

_____ (1974b). "Uma categoria do espírito humano: A noção da pessoa, a noção do 'eu'". In: *Sociologia e antropologia.* São Paulo, EPU/Edusp, p. 207-241.

MEAD, Georg (1964). *On Social Psychology.* Chicago e Londres, The University of Chicago Press.

MEAD, Margaret (1962). *Male and Female.* Middlesex, Pelican Books.

_____ (1988). *Sexo e temperamento.* São Paulo, Perspectiva.

MILLOT, Catherine (1992). *Extra-sexo: ensaio sobre o transexualismo.* São Paulo, Escuta.

MISSE, Michel (1979). *O estigma do passivo sexual.* Rio de Janeiro, Achiamé.

MONTES, Gregorio Santiago, CALDINI, Élia Garcia & CALDINI Jr., Nelson (1997). "A homossexualidade masculina tem causas biológicas?". *Ciência Hoje,* 128 (*22*): 52-59.

MOTT, Luiz & ASSUNÇÃO, Aroldo (1987). "Gilete na carne: Etnografia das automutilações dos travestis da Bahia". *Temas Imesc,* São Paulo, 4 (*1*): 41-56.

MOTT, Luiz (1988a). "Relações raciais entre homossexuais no Brasil colonial". In: *Escravidão, homossexualidade e demonologia.* São Paulo, Ícone.

_____ (1988b). "Desventuras de um sodomita português no Brasil seiscentista". In: *O sexo proibido: virgens, gays e escravos nas garras da Inquisição.* Campinas, Papirus.

_____ (1988c). "Pagode português: a subcultura gay em Portugal nos tempos inquisitoriais". *Ciência e Cultura,* 40 (*2*): 126-138.

MOURTHÉ, Gilberto (1976). *Transexualismo.* Belo Horizonte, Itatiaia.

MÜLLER, Liane Susan (1992). Sinais de comunicação no planeta noite: Parte I — Os travestis. Porto Alegre. (mimeo)

MURRAY, David (1998). "Defiance of Defilement? Undressing Cross-dressing in Martinique's Carnival". *Sexualities,* 1 (*3*): 343-353.

NANDA, Serena (1996). "Hijras: An Alternative Sex and Gender Role in India". In: HERDT, Gilbert (ed.). *Third Sex, Third Gender — Beyond Sexual Dimorphism in Culture and History.* Nova York, Zone Books.

OLIVEIRA, Marcelo (1997). *O Lugar do travesti em desterro*. Programa de Pós--Graduação em Antropologia Social/Universidade Federal de Santa Catarina (dissertação de mestrado).

OLIVEIRA, Neusa Maria de (1994). *Damas de paus: O jogo aberto dos travestis no espelho da mulher*. Salvador, Centro Editorial e Didático da UFBA.

ORTHOF, Sylvia (1988). *O fantasma travesti*. Rio de Janeiro, Espaço&Tempo.

ORTNER, Sherry & WHITEHEAD, Harriet (eds.) (1981). *Sexual Meanings*. Cambridge, University of Cambridge Press.

ORTNER, Sherry (1979). "Está a mulher para o homem assim como a natureza para a cultura?". In: ROSALDO, Michele Zimbalist & LAMPHERE, Louise (orgs.). *A mulher, a cultura, a sociedade*. Rio de Janeiro, Paz e Terra, p. 95-120.

PARKER, Richard (org) (1994). *A Aids no Brasil*. Rio de Janeiro, Relume Dumará/ABIA/IMS-UERJ.

PARKER, Richard (1991). *Corpos, prazeres e paixões — A cultura sexual no Brasil contemporâneo*. São Paulo, Best-Seller.

_____ (1999). *Beneath the Equator — Cultures of Desire, Male Homosexuality, and Emerging Gay Communities in Brazil*. Nova York e Londres, Routledge.

PERISTIANY, J. G. (org.) (1971). *Honra e vergonha nas sociedades mediterrâneas*. Lisboa, Fundação Calouste Gulbenkian.

PERLONGHER, Néstor (1987a). *O negócio do michê*. São Paulo, Brasiliense.

_____ (1987b). *O que é Aids?* São Paulo, Brasiliense.

_____ (1989). "Territórios marginais". *Papéis avulsos*, v. 6. CIEC/UFRJ.

PIRANI, Denise (1997). *Quand les lumières de la ville s'éteignent: minorités et clandestinités à Paris, le cas des travestis*. Paris, École des Hautes Études en Sciences Sociales (tese de doutorado).

PRIEUR, Annick (1998a). *Mema's House, Mexico City: On Transvestites, Queens and Machos*. Chicago e Londres, University of Chicago Press.

_____ (1998b). "Bodily and Symbolic Constructions Among Homosexual Men in Mexico". *Sexualities*, 1 (*3*): 287-298.

*PROSTITUIÇÃO em Porto Alegre — Mapeamento quantitativo* (1996). Gapa/RS, Porto Alegre, Editora Universitária-UFPEL.

RODRIGUES, José Carlos (1975). *Tabu do corpo*. Rio de Janeiro, Achiamé.

ROSALDO, Michelle (1995). "O uso e o abuso da antropologia: reflexões sobre o feminismo e o entendimento cultural". *Horizontes Antropológicos*, 1 (*1*): 11-36.

ROSCOE, Will (1996). "How to Become a Berdache: Toward an Unified Analysis of Gender Diversity". In: HERDT, Gilbert (ed.). *Third Sex, Third Gender — Beyond Sexual Dimorphism in Culture and History*. Nova York, Zone Books.

SAHLINS, Marshall (1994). *Ilhas de história*. Rio de Janeiro, Zahar.

SALEM, Tania (1989). "O casal igualitário: princípios e impasses". *Revista Brasileira de Ciências Sociais*, 3 (*9*): 24-37.

SALEM, Tania (1992). "A 'despossessão subjetiva': dos paradoxos do individualismo". *Revista Brasileira de Ciências Sociais*, 7 (*18*): 62-77.

SANT'ANNA, Denise Bernuzzi de (1995). "Cuidados de si e embelezamento feminino: Fragmentos para uma história do corpo no Brasil". In: *Políticas do corpo*. São Paulo, Estação Liberdade, p. 121-40.

SCHEPER-HUGHES, Nancy & LOCK, Margaret (1987). "The Mindful Body: a Prolegomenon to Future Work in Medical Anthropology". *Medical Anthropological Quarterly*, 1 (*1*): 6-41.

SCHIEBINGER, Londa (1987). "Skeletons In The Closet: The First Illustrations of The Female Skeleton in Eighteen-Century Anatomy". In: LAQUEUR, Thomas & GALLAGHER, C. *The Making of The Modern Body*. Califórnia, University of Califórnia Press.

SCOTT, Joan (1990). "Gênero: Uma categoria útil de análise histórica". *Revista Educação & Realidade*, 16 (*2*): 5-22, jul./dez.

SHAPIRO, Judith (1991). "Transsexualism: Reflections on the Persistence of Gender and the Mutability of Sex". In: EPSTEIN, Julia and STRAUB, Kristina (eds.). *Body Guards: The Cultural Politics of Gender Ambiguity*. Nova York, Routledge, p. 248-279.

SHEPHERD, Gill (1978). "Transsexualism in Oman?". *Man* (N. S.), 13 (*1*): 133-134.

SHEPHERD, Gill; FEUERSTEIN, G. & al-MARZOOQ, S.; WIKAN, Unni (1978). "The Omani *Xanith*". *Man* (N. S.), 13 (*4*): 663-71.

SIKORA, Jacobo Schifter (1998). *De ranas a princesas: sufridas, atrevidas y travestidas*. San José, Costa Rica, ILPES.

SILVA, Hélio & FLORENTINO, Cristina (1996). "A sociedade dos travestis: espelhos, papéis e interpretações". In: PARKER, Richard & BARBOSA, Regina (orgs.). *Sexualidades brasileiras*. Rio de Janeiro, ABIA/IMS-UERJ/Relume Dumará.

SILVA, José Fábio Barbosa da Silva (1959). "Aspectos sociológicos do homossexualismo em São Paulo". *Sociologia*, 21 (*4*): 350-360.

SILVA, Hélio (1993). *Travesti — A invenção do feminino*. Rio de Janeiro, Relume-Dumará/ISER.

_____ (1996). *Certas Cariocas — Travestis e vida de rua no Rio de Janeiro*. Rio de Janeiro: Relume Dumará.

SILVEIRA, José Francisco Oliosi da (1995). *O transexualismo na Justiça*. Porto Alegre, Síntese.

SIMMEL, Georg (1993). *Filosofia do amor*. São Paulo, Martins Fontes.

_____ (1934). *Cultura femenina y otros ensaios*. Madri, Revista de Occidente.

STOLLER, Robert J. (1982). *A experiência transexual*. Rio de Janeiro, Imago.

_____ (1994). *Masculinidade e feminilidade*. Porto Alegre, Artes Médicas.

TREVISAN, João Silvério (1986). *Devassos no paraíso*. São Paulo, Max Limonad.

VAINFAS, Ronaldo (1986). *Casamento, amor e desejo no ocidente cristão*. São Paulo, Ática.

_____ (1989). *Trópico dos pecados*. São Paulo, Campus.

VANCE, Carole (1995). "A Antropologia redescobre a sexualidade: um comentário teórico". *Physis — Revista de Saúde Coletiva*, 5 (*1*): 7-31.

VELHO, Gilberto (1981). *Individualismo e Cultura — Notas para uma antropologia da sociedade contemporânea*. Rio de Janeiro, Zahar.

_____ (1986). *Subjetividade e sociedade — uma experiência de geração*. Rio de Janeiro, Zahar.

VICTORA, Ceres (1991). *Mulher, sexualidade e reprodução: Representações de corpo em uma vila de classes populares de Porto Alegre*. Porto Alegre, Programa de Pós--Graduação em Antropologia Social/UFRGS (dissertação de mestrado).

VIGARELLO, Georges (1995). "Panóplias corretoras: balizas para uma história". In: SANT'ANNA, Denise de Bernuzzi (org.). *Políticas do corpo*. São Paulo, Estação Liberdade, p. 21-38.

VIVEIROS DE CASTRO, Eduardo (1987). "A fabricação do corpo na sociedade xinguana". In: PACHECO DE OLIVEIRA, João (org.). *Sociedades indígenas e indigenismo no Brasil*. Rio de Janeiro, Marco Zero.

WIKAN, Unni (1977). "Man Becomes Woman: Transexualism in Oman As A Key to Gender Roles". *Man* (N. S.), 12 (*2*): 304-319.

_____ (1978). "The Omani X*anith*: A Third Gender Role?" Man, (N. S.), 13 (3): 473-475.

Este livro foi composto em AGaramond 11/13,5 e impresso em
papel pólen soft 80 gramas/m² pela Prol, em São Paulo,
para a editora Garamond no mês de novembro de 2015